CB025255

OS MITOS NÓRDICOS

British Museum, Londres.

Manx Museum, Ilha de Man/Werner Forman Archive.

OS MITOS NÓRDICOS

UM GUIA PARA OS DEUSES E HERÓIS

CAROLYNE LARRINGTON

Tradução de Caesar Souza

Petrópolis

Tradução realizada a partir do original em inglês intitulado *The Norse Myths. A Guide to the Gods and Heroes*

Direitos de publicação em língua portuguesa – Brasil:
2022, Editora Vozes Ltda.
Rua Frei Luís, 100
25689-900 Petrópolis, RJ
www.vozes.com.br
Brasil

Editoração: Rafaela Milara
Diagramação e capa: Do original
Arte-finalização de miolo: Sheilandre Desenv. Gráfico
Revisão gráfica: Fernando Sergio Olivetti da Rocha
Arte-finalização de capa: Editora Vozes

ISBN 978-65-5713-690-4 (Brasil)
ISBN 978-0-500-25196-6 (Reino Unido)

Este livro foi composto e impresso pela Editora Vozes Ltda.

Dados Internacionais de Catalogação na Publicação (CIP)
Câmara Brasileira do Livro, SP, Brasil)

Larrington, Carolyne
Os mitos nórdicos : um guia para os deuses e heróis / Carolyne Larrington; tradução de Caesar Souza. – Petrópolis, RJ : Vozes, 2022.

Título original: The Norse myths.
ISBN 978-65-5713-690-4

1. Folclore – Escandinávia 2. Mitologia nórdica
I. Souza, Caesar. II. Título.

22-111509 CDD-293.13

Índices para catálogo sistemático:
1. Mitologia nórdica : Religião 293.13

Eliete Marques da Silva – Bibliotecária – CRB-8/9380

SUMÁRIO

AGRADECIMENTO E NOTA

ᛟ AGRADECIMENTO DA AUTORA ᛟ

Gostaria de agradecer a Tim Bourns por muitas sugestões úteis e por seu trabalho no índice. Os quatro homenageados foram instigadores e companheiros de muitas aventuras nórdicas em muitas terras: *til góðs vínar liggja gagnvegir, þótt hann* sé *firr farinn.*

ᛟ SOBRE OS NOMES E PRONÚNCIAS ᛟ

Nomes nórdicos antigos são citados em suas formas nórdicas antigas. Isso requer duas letras familiares (ainda usadas no islandês e no feroês modernos), chamadas "eth" (ð / Đ) e "thorn" (þ / Þ). A primeira delas é pronunciada como o som "th" no artigo definido *the* em inglês, por exemplo, no nome do rei dos deuses, Óðinn (Odin). A segunda é pronunciada como o som "th" na palavra *thorn* ("espinho", em inglês), como no nome de Þórr (Thor)[1].

Estudiosos usualmente pronunciam palavras nórdicas antigas como no islandês moderno. O acento tônico cai na primeira sílaba. Muitas consoantes são pronunciadas como no inglês (com "g" sempre forte, como em *gate*, "portão", mas o "j" pronunciado como o "y" em *yes*, "sim"). Assim: Gerðr = "GAIR-ther" (as letras maiúsculas mostram acento tônico)[2].

---

1. Nenhum desses sons encontra correspondente em português. O primeiro símbolo representa um som interdental vozeado (produzido com a língua entre os dentes e com vibração das pregas vocálicas, encontrado também nas palavras *this*, "este", e *that*, "aquele", em inglês). O segundo símbolo representa um som muito próximo, também produzido com a língua entres os dentes, mas sem a vibração das pregas vocálicas (como o que encontramos no começo das palavras *thanks*, "obrigado", em inglês, ou *cena*, "jantar", em espanhol).

2. Nesse caso, ambos os sons são encontrados em português: o primeiro é o som [g], em palavras como *gato*, *guerra*, *gole*; o segundo é o som [j], presente em ditongos tais como *ai* [aj], *boi* [boj], *lei* [lej].

Vogais breves também são pronunciadas como no inglês, embora o "a" breve seja como o "a" de *father* ("pai"), não como em *cat* ("gato")[3]. O "y" é o mesmo que o "i": Gylfi = "GIL-yee". O "ll" é pronunciado como "tl": Valhöll = "VAL-hertl".

Vogais longas (marcadas com um acento agudo) são principalmente apenas uma versão mais longa das breves, embora "á" seja como "ow" em *how* ("como"). As deusas são coletivamente chamadas Ásynjur = "OW-sin-yur"[4].

Ditongos são um pouco diferentes: "ei" ou "ey" é "ay", como em *hay* ("feno"), então Freyr = "FRAY-er"; "au" é um pouco como "oh", mas mais longo do que em inglês; draumar (sonhos) = "DROH-mar"[5].

"æ" é pronunciado como *eye* ("olho"), então Æsir (o grupo principal de deuses) = "EYE-seer"[6].

"ö" e "ø" são como o alemão "ö": algo como "er". Assim, Jötunheimar (a Terra dos Gigantes) = "YER-tun-HAY-mar"[7].

---

3. A letra "a" é pronunciada como em português: *arte*, *lado*, *átomo*.

4. As vogais longas não são encontradas, via de regra, em português. A vogal longa "á" é pronunciada como o ditongo *au* em palavras como *auto*, *laudo*, *aumento*.

5. Os ditongos *ei* ou *ey* são pronunciados como o ditongo *ei* em português, tal como em *eixo*, *beira*, *queixo*. O ditongo *au* é pronunciado como o som de "ó" em português, tal como em *óleo*, *ópera*, *pó*.

6. Trata-se de pronúncia similar ao ditongo *ai* em português, tal como em *aipo*, *baita*, *cai*.

7. Trata-se de um som vocálico sem correspondente em português. É uma vogal arredondada frontal que encontramos em nomes alemães como *Goethe* e *König*.

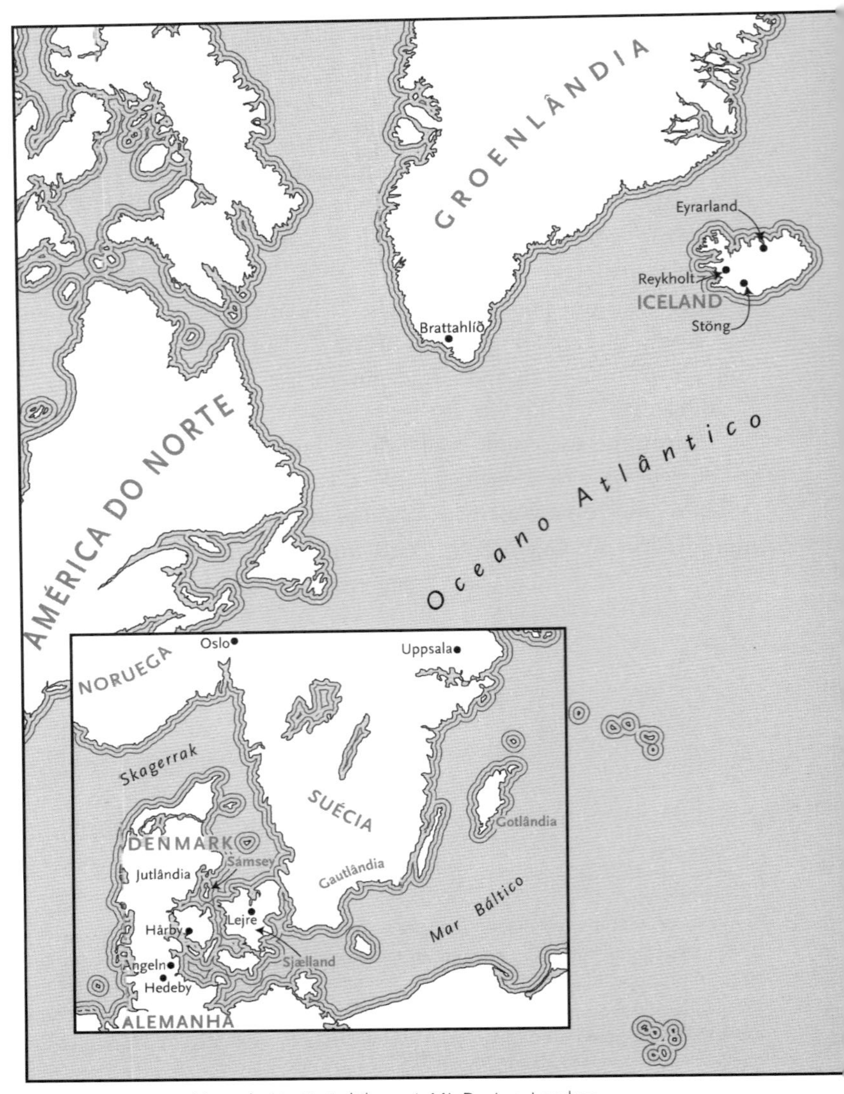

Mapa de Martin Lubikows<i, ML Design, Londres.
Falantes nórdicos se estabeleceram em locais tão distantes quanto Grã-Bretanha, Islândia, Croenlândia e América do Norte. Estabeleceram-se na Rússia e trabalharam em Constantinopla como a Guarda Varangiana do imperador.

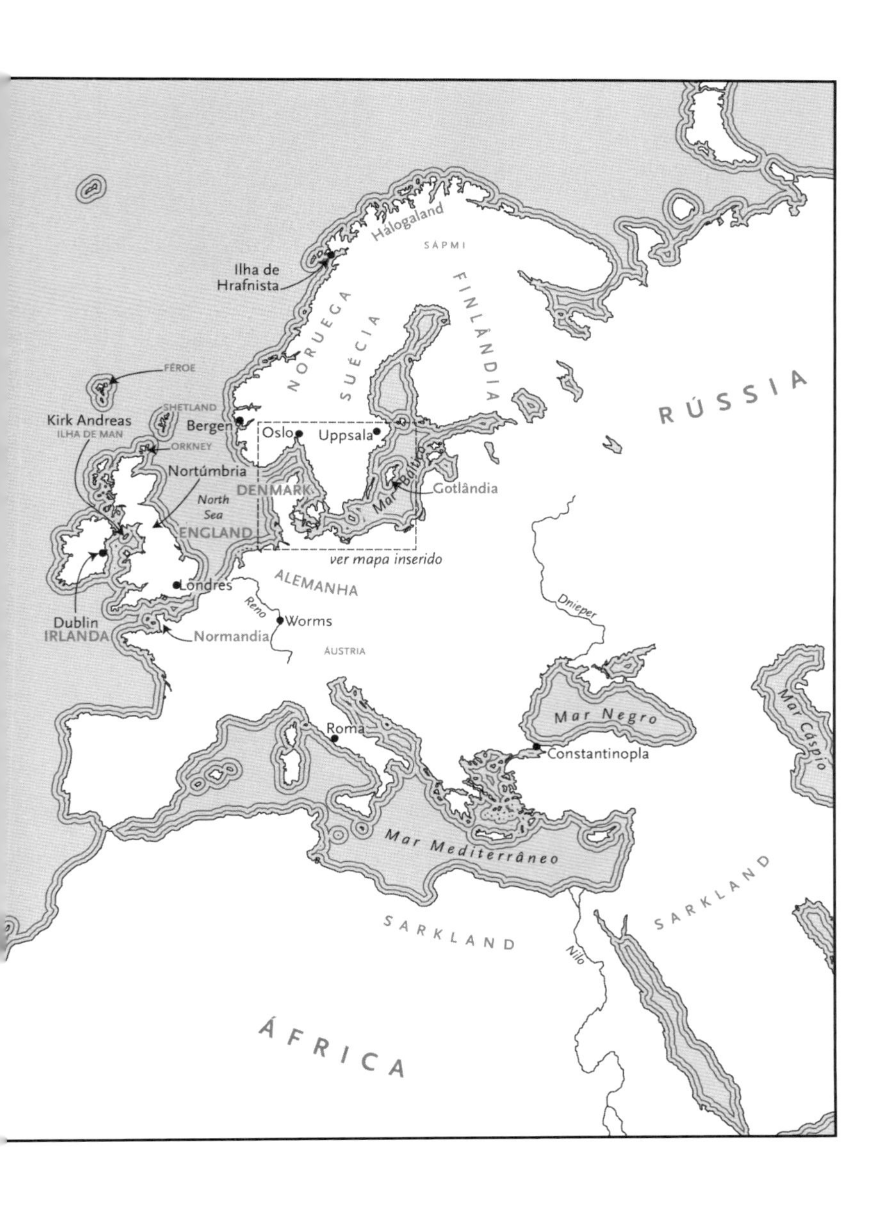

Hálogaland
SÁPMI
Ilha de Hrafnista
NORUEGA
SUÉCIA
FINLÂNDIA
FÉROE
SHETLAND
Kirk Andreas
ILHA DE MAN
Bergen
Oslo
Uppsala
ORKNEY
RÚSSIA
Nortúmbria
DENMARK
Mar Báltico
Gotlândia
North Sea
ENGLAND
ver mapa inserido
ALEMANHA
Londres
Reno
Worms
Dnieper
Dublin
IRLANDA
Normandia
ÁUSTRIA
Mar Negro
Mar Cáspio
Roma
Constantinopla
Mar Mediterrâneo
SARKLAND
SARKLAND
Nilo
ÁFRICA

Trabalho de arte de Drazen Tomic.
O cosmos mitológico nórdico antigo

INTRODUÇÃO

ᛟ FONTES E SOBREVIVENTES ᛟ

Óðinn [Odin] foi um homem notável por sua sabedoria e em todas as realizações. Sua esposa era chamada Frigida, e nós a chamamos Frigg. Óðinn tinha habilidades proféticas, assim como sua esposa, e desse conhecimento descobrimos que ele se tornaria extremamente famoso na parte norte do mundo, e honrado acima de todos os reis. Por essa razão, desejou deixar a Turquia, e trouxe consigo uma grande multidão de pessoas, jovens e idosos, homens e mulheres, além de muitas coisas preciosas. Mas, para onde quer que fossem no continente, tantas coisas eram ditas deles que pareciam mais deuses do que humanos.

SNORRI STURLUSON, PRÓLOGO, *Edda em prosa* (*c.* 1230).

ᛟ SNORRI STURLUSON E OS ASTUTOS MIGRANTES ASIÁTICOS ᛟ

Quem foram os deuses nórdicos? Migrantes do Oriente Próximo, que viajavam pela Alemanha para chegar à terra prometida escandinava: humanos como você e eu, mas mais espertos, bonitos, civilizados. Ou assim afirmou um escritor cristão, um islandês medieval que registrou muitos dos mitos e das lendas que sobreviveram do norte escandinavo. Estudiosos cristãos medievais necessitavam explicar por que seus ancestrais adoravam falsos deuses, e, assim, uma teoria difundida foi que os deuses pré-cristãos eram demônios, espíritos maus enviados por satã para induzi-los ao pecado e ao erro. Mas outra teoria muito efetiva foi promovida por Snorri Sturluson na citação anterior: os assim chamados deuses eram de fato humanos excepcionais, imigrantes de Troia, uma ideia conhecida como *evemerismo*. Para Snorri Sturluson, o estudioso, político, poeta e líder de clã islandês que nos deixou a descrição mais completa e sistemática do panteão nórdico, a ideia de que os deuses nórdicos – os Æsir, como eram chamados – deviam ser entes humanos era cativante. Descendentes do lado perdedor na Guerra de Troia, eles decidiram migrar para o norte, levando sua tecnologia e sabedoria superiores aos nativos da Alemanha e da Escandinávia. A cultura dos recém-chegados sobrepujou a dos habitantes anteriores, que adotaram sua língua e, após a morte da primeira geração imigrante, passaram a cultuá-los como deuses.

A explicação de Snorri sobre como a poesia nórdica tradicional funcionava em *Edda* exigia uma boa quantidade de informações mitológicas de base, e, assim, ele criou uma estrutura que deixou claro que, embora ninguém possa, *agora*, cultuar os deuses pagãos – que, em todo caso, não foram senão uma tribo sagaz de migrantes do Oriente Próximo –, as histórias associadas a eles eram tanto significativas quanto lúdicas. Ele, portanto, prefaciou seu tratado sobre poética com uma história sobre o Rei Gylfi da Suécia, que fora duplamente enganado; primeiro pela deusa Gefjun, como relatado no capítulo 1, e uma segunda vez quando se apercebeu muito tarde que havia sido enganado e partiu para Ásgarðr, onde sabia que os Æsir viviam. Gylfi pretendia descobrir mais sobre seus enganadores; ele foi recebido no salão do rei e lá encontrou três figuras chamadas Hár, Jafnhár e Þriði (Alto, Tão-Alto-Quanto e Terceiro).

Snorri Sturluson, o estudioso islandês

Snorri Sturluson (1179-1241) pertencia a uma família islandesa proeminente e foi profundamente envolvido na turbulenta política da Islândia e da Noruega. Ele compôs um tratado sobre poética, conhecido como a *Edda em prosa*, que consiste em quatro partes: *Háttatal* ("Lista de métricas"), um longo poema ilustrando vários tipos de métricas poéticas chamado; *Skáldskaparmál* ("A linguagem da poesia"), uma explanação sobre as figuras metafóricas conhecidas como "*kennings*" (cf. p. 15); um "Prólogo"; e uma seção conhecida como *Gylfaginning* ("O ardil de Gylfi"). Snorri foi assassinado em um porão em sua casa, em Reykholt, na Islândia, por agentes atuando pelo rei norueguês. Suas últimas palavras foram: "Não me batam!"

Foto Fred Jones.
Estátua de Snorri Sturluson, o estudioso, político e poeta islandês do século XIII, em sua casa, em Reykholt, na Islândia.

Em uma longa sessão de perguntas e respostas, Gylfi descobriu muito sobre os deuses, sobre os processos de criação do universo e sobre a humanidade, sobre o fim do mundo, *ragnarök*, no qual os deuses e os gigantes lutariam uns contra os outros, e, finalmente, como a Terra seria criada novamente. E, aconselhando Gylfi a fazer bom uso do que havia ouvido, Hár e seus dois colegas, o imenso salão e a imponente fortaleza desapareceram todos. Gylfi voltou para casa para divulgar a outros o que havia aprendido.

Snorri escreveu uma segunda descrição importante sobre os deuses nórdicos: a *Ynglinga saga* ("A saga dos Ynglings"), a primeira parte de sua história sobre os reis da Noruega, conhecida pelas

Árni Magnússon Institute for Icelandic Studies, Reykjavik.
O Rei Gylfi encontra Hár, Jafnhár e Þriði, de um manuscrito islandês do século XVIII.

palavras de abertura como *Heimskringla* ("O disco do mundo"). Aqui, ele adotou a mesma explanação evemerista dos Æsir, como propõe em *Edda*, mas acrescenta outros detalhes sobre suas capacidades e deixa claro que eram os ancestrais dos reis tanto da Suécia como da Noruega. Os escritos mitológicos de Snorri, por mais racionalizados e sistematizados que sejam, dão-nos uma noção crucial das narrativas dos deuses e heróis nórdicos. Contudo, quando lemos os trabalhos de Snorri, necessitamos ter em mente sempre que ele escreve como um cristão medieval e, assim, molda parte de seu material como tal. Ele introduz, portanto, a ideia de um dilúvio primevo que afoga todos menos os gigantes de gelo, uma invenção orientada pelo dilúvio do Noé bíblico e da aniquilação dos gigantes de lá. Não há evidência para essa história em parte alguma da tradição nórdica sobrevivente. Embora Snorri deva ter conhecido muito mais sobre o mito nórdico do que nós, por vezes ele se depara com conceitos que não compreende completamente, e então inventa coisas. Suspeitamos também que Snorri sabe mais histórias do que relata – talvez o sacrifício de Óðinn de "si para si" na grande Árvore do Mundo Yggdrasill (cf. cap. 1). Esse mito do deus sacrificial enforcado, provavelmente, ia muito desconfortavelmente contra a história da Crucificação de Cristo para que um bom cristão se animasse a recontá-lo.

ᛟ DOIS TIPOS DE POESIA NÓRDICA ᛟ

Não é exatamente claro para ninguém o que a palavra *edda* significa; o nome é dado ao tratado de Snorri em um de seus primeiros manuscritos. Um significado é "bisavó", o que pode apontar para a ideia do conhecimento mitológico como antigo e estreitamente associado às mulheres. Na Islândia do século XIV, a palavra era usada para significar algo como "poética". A antiga poesia nórdica se apresenta sob duas variedades. Um tipo é altamente elaborado: conhecida como poesia escáldica, emprega um sistema metafórico enigmático conhecido como "*kenning*". Em sua forma mais simples, *kennings* podem ser compostos, como "forjador de pensamentos" (*thought-smith*) para "poeta" ou "raio elfo" (*elf-ray*) para "sol". Muitos *kennings*, contudo, são mais complexos e enigmáticos; eles dependem do conhecimento da mitologia para serem decifrados. Assim, de modo a entender quem é a *farmr arma Gunnlaðar* (a carga dos braços de Gunnlöð), necessitamos saber que o deus Óðinn teve, certa vez, a ocasião para seduzir Gunnlöð, a filha de um gigante, a fim de obter o hidromel da poesia para deuses e humanos (cf. cap. 3). Descrever Óðinn nesses termos em vez de, por exemplo, "o deus enforcado" o associa a um deus sedutor, que obtém tesouros culturalmente vitais para deuses e humanos, e não como a figura sofredora que se enforca na Árvore do Mundo a fim de obter o conhecimento das runas; o sacrifício por enforcamento parece ser o melhor modo de agradar Óðinn. Muito poucas narrativas mitológicas, notadamente algumas aventuras de Þórr (Thor) discutidas no capítulo 3, são registradas em verso escáldico, mas a principal

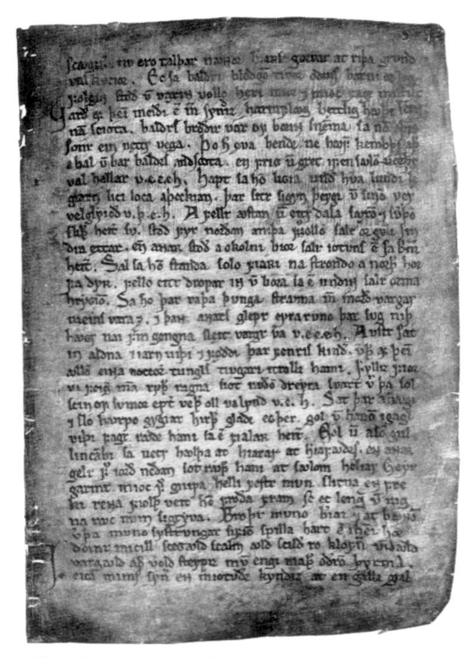

Árni Magnússon Institute for Icelandic Studies, Reykjavik.
O manuscrito do Codex Regius, de c. 1270, mostrando alguns versos de Völuspá ("A profecia da vidente").

relevância do mito e da lenda para esse tipo de poesia é que respaldam as metáforas do sistema de *kenning*.

O segundo tipo de poesia nórdica antiga é chamado de poesia édica, e compartilha sua forma aliterativa mais simples com o primeiro verso composto nas línguas germânicas relacionadas do inglês antigo e do alemão culto antigo. O termo "édico" era aplicado a essa forma de poesia porque muitas das histórias que reconta formavam a base da descrição mitológica de Snorri em *Edda*. Grande parte da poesia sobrevivente nessa métrica está preservada em um único manuscrito, conhecido, oficialmente, como GKS 2365 4º, mantido, hoje, no Manuscript Institute, em Reykjavik, o Stofnun Árna Magnússonar. Um bispo islandês, Brynjólfur Sveinsson, apresentou esse manuscrito ao rei da Dinamarca em 1662, e, portanto, passou a ser conhecido como o Codex Regius, o Códex do Rei. Embora o códex tenha sido escrito em islandês por volta de 1270, muitos dos poemas e grande parte das informações nele contidos já eram conhecidos por Snorri, que escrevera cerca de quarenta anos antes. Parece provável que houvesse algumas coleções escritas preexistentes de poesia mitológica e heroica nas quais Snorri se baseou. Quase todos os poemas citados neste livro são dessa compilação, mas há alguns outros poemas édicos mitológicos além desses encontrados no Codex Regius. Esses incluem *Baldrs Draumar* ("Os sonhos de Baldr"), prenunciando a morte de Baldr; *Hyndluljóð* ("O canto de Hyndla"), um poema que revela muitas informações mitológicas, como uma lista gigantesca de ancestrais de um dos heróis favoritos da deusa Freyja; e *Rígsþula* ("A lista de Rígr"), que relata como as classes sociais passaram a existir. Outros poemas de estilo édico, muitos relatando histórias de antigos heróis escandinavos, são encontrados em histórias em prosa (sagas) de heróis *vikings*; essas são conhecidas como *fornaldarsögur* (sagas dos tempos antigos).

ᛟ SAXO: O PRIMEIRO HISTORIADOR DINAMARQUÊS ᛟ

Quase todas as descrições medievais de mitos e lendas nórdicos antigos se originaram na Islândia e em islandês. Uma importante exceção, contudo, é a *História dos dinamarqueses*, uma descrição massiva escrita em latim do monge dinamarquês Saxo Grammaticus, que viveu, aproximadamente, de 1150 a 1220. O apelido de Saxo significa "o Erudito" (*The Learned*). Em seu Prefácio, Saxo nos diz que, no passado pré-cristão, os dinamarqueses haviam "gravado as letras de sua própria língua em pedras e rochas para contar aqueles feitos de seus ancestrais que se tornaram populares nas canções de sua língua materna". Saxo também menciona que islandeses contemporâneos foram excelentes fontes de histórias tradicionais, e usa o material para seu livro. Como Snorri, Saxo caracteriza os deuses e os heróis, cujas histórias relata como humanos, muitas vezes engenhosos e traiçoeiros, que viveram no passado pré-histórico da

Foto Gernot Keller.
Uma fazenda medieval reconstruída em Stöng, no sul da Islândia.

Histórias contadas na Islândia

As afirmações de Saxo sobre como os islandeses lembravam e preservavam a tradição heroica são corroboradas pelo fato de que nossas duas grandes fontes para os mitos e as lendas nórdicos, as *Eddas em prosa e poética*, foram, na verdade, escritas na ilha do Atlântico Norte. A Islândia se estabeleceu amplamente a partir da Noruega no século IX. O mito da origem dos islandeses afirma que eles eram descendentes de nobres livres que não aceitaram a tirania do Rei Haraldr Fair-hair [Haraldr Cabelos Bonitos], e por isso emigraram. Outros escandinavos das colônias anglo-escandinavas das Ilhas Britânicas se mudaram para o novo assentamento, e escravos foram importados das regiões celtas. Histórias antigas de terras escandinavas também devem ter viajado para a Islândia nos escaleres dos colonizadores, recontadas e representadas nas pequenas casas de fazenda com teto de turfa onde as famílias se acocoravam durante as longas e escuras noites de inverno, e, assim, a Islândia, por séculos, tornou-se o repositório de conhecimento sobre o passado pagão.

Dinamarca. Óðinn é dito, uma vez mais, ser um ente humano extremamente astuto, "um homem... amplamente reconhecido por toda a Europa, embora falsamente, como um deus". A despeito do tom cético de Saxo, grande parte de seus registros apoia as histórias contadas em outros lugares; ele é particularmente útil em fornecer outras informações sobre alguns dos heróis escandinavos mais importantes: Starkaðr e Ragnarr loðbrók (Ragnarr Calças Felpudas), por exemplo, cujas histórias são contadas no capítulo 5.

ᛟ O ORAL E O LITERÁRIO ᛟ

Snorri pode muito bem ter tido pequenas coleções manuscritas de poesia édica ao seu alcance quando estava compondo *Edda em prosa*. Mas é fácil subestimar a enorme quantidade de material que o povo medieval poderia guardar na memória. A mente de Snorri, sem dúvida, foi abastecida de uma grande quantidade de poemas, tanto escáldicos como édicos. Desses trabalhos, e talvez das prosas recontadas também, ele extraiu as informações de que necessitava para escrever *Edda*. A escrita de Snorri, com efeito, determinaria as formas dos mitos nórdicos antigos para as futuras gerações – uma consequência inevitável quando histórias variáveis, multiformes, são aprisionadas na forma escrita. Mas nunca há, e nunca houve, uma versão "original" de um mito; é impossível estabelecer quem contou a história primeiro. Cada versão individual recontada contribui para nossa compreensão geral da estrutura e do significado do mito. Cada nova versão oferece uma compreensão do pensamento mítico e dos contextos que tornam esse mito relevante para as culturas que fazem uso dele, seja em um poema inteiro, ou num *kenning*, ou numa alusão, ou em descrições visuais em entalhes em pedra ou madeira, ou em pinturas, têxteis ou cerâmicas.

Como veremos no capítulo 2, há mais de uma explanação para a criação do mundo no mito nórdico, mas nada a se ganhar argumentando que uma ou outra é a história "real" ou "original". Assim como versões de mitos egípcios variam consideravelmente ao longo de toda a extensão do Rio Nilo, os mitos nórdicos eram a propriedade cultural de todo povo descendente dos *vikings*, onde quer que tenham vivido no mundo do norte. No que tem sido chamada a diáspora *viking*, povos falantes do nórdico emigraram da Escandinávia para partes da

Jamtli Historieland Östersund.
Cavaleiros, navios e árvores estilizadas em uma tapeçaria viking de Överhogdal, na Suécia.

Grã-Bretanha e para a Normandia, para as ilhas do Atlântico Norte – basicamente, para a Islândia, mas também para as ilhas Féroe, Orkney e Shetland. Mais tarde, eles colonizariam o sul da Groenlândia e, inclusive, estabeleceriam assentamentos temporários na América do Norte. Os escandinavos desceram pelo Rio Dnieper até o Mar Negro e foram empregados como a Guarda Varangiana do imperador em Constantinopla, e também fundaram os primeiros principados russos.

Essa dispersão geográfica significava que não poderia haver uniformidade alguma, nenhuma versão dogmática dos mitos que todos tivessem de aceitar. O dogma é, de um modo geral, associado a religiões do Livro: judaísmo, cristianismo e islamismo, religiões nas quais os escritos sagrados evoluem, tornam-se aceitos como canônicos e, depois, se consolidam em ortodoxia (mesmo que haja diferenças de interpretação). Da Península da Jutlândia, na Dinamarca, até as fronteiras da Lapônia, no norte, a Dublin da era *viking* e mesmo à Groenlândia, no oeste, até a Normandia, no sul, e à Constantinopla, no leste, cada comunidade falante do nórdico conhecia e usava um variado conjunto de mitos para explicar as grandes questões metafísicas que cabe ao mito responder.

As lendas mudam à medida que migram através de fronteiras territoriais e de língua. Se compararmos a versão da história de Sigurðr/Siegfried preservada no *Nibelungenlied* austro-alemão de cerca de

1200, e das versões da poética e da prosa nórdicas, recontadas no capítulo 4, descobrimos que as relações entre os principais personagens são completamente reorientadas. Na versão do sul, o foco principal é a vingança de uma irmã sobre os irmãos por terem assassinado seu esposo. Nas versões do norte, a irmã perdoa os irmãos e se vinga de forma terrível em seu segundo esposo por tê-los assassinado. Essas variações nos dizem algo sobre normas culturais variáveis; as histórias exploram como fica a verdadeira lealdade de uma irmã quando ela se torna esposa. Mitos e lendas são mutáveis, lábeis; se têm um papel cultural, são lembrados, reformulados e, usualmente por meio da escrita ou de outras formas de fixação, preservados. Se não têm mais significado, desaparecem. Deve ter havido uma enorme quantidade de histórias de deuses e heróis que não se converteram em histórias do "repositório de mitos" nórdicos, histórias de popularidade local ou cultural ampla, que agora estão para sempre perdidas.

ᛟ LUGARES E OBJETOS ᛟ

Algumas indicações sobre o tesouro perdido do "repositório de mitos" são oferecidas pelas primeiras referências à religião pré-cristã, achados arqueológicos ou – particularmente importante na área cultural nórdica antiga – esculturas em pedras. Embora grande parte do ritual religioso nórdico antigo pareça ter ocorrido ao ar livre, templos foram construídos. Há uma descrição que data da década de 1070, escrita por um estudioso chamado Adam de Bremen, do grande templo em Uppsala, no centro da Suécia. A Suécia se converteu ao cristianismo muito depois da Noruega e da Islândia, e Uppsala foi um centro para todos os tipos de atividades: políticas, administrativas, religiosas e legais. Estátuas de Thor, Wotan e Frikko (Þórr, Óðinn e Freyr) foram entronadas no templo de Uppsala, Adam nos diz. Þórr ocupava a posição central, enquanto os outros dois deuses sentavam a seu lado. Próximo ao templo havia uma enorme árvore perene, com um poço abaixo dela no qual homens eram afogados como oferendas. Tanto humanos como animais eram

Olaus Magnus, A Description of the Northern Peoples, 1555 (Hakluyt Society). Descrição do grande templo de Uppsala, com um homem sacrificado visível no poço, de *A Description of the Northern Peoples* [Uma descrição dos povos do norte], de Olaus Magnus (1555)

O navio funerário Oseberg

Em 1903, um agricultor em Vestfold, sul da Noruega, encontrou parte de um navio quando cavava em um cômoro em seus campos. Arqueólogos da Universidade de Oslo escavaram o sítio no verão seguinte e desencobriram um enorme navio, ricamente entalhado, de 21,5 metros de comprimento e 5 metros de largura. O navio fora feito com madeira de carvalho cerca de 820 EC, e podia ser movido por trinta remadores. O navio foi arrastado para a terra em 834 EC e usado para a tumba de duas mulheres de *status* obviamente elevado. Uma tinha entre setenta e oitenta anos, a outra, provavelmente, cerca de cinquenta, e estavam deitadas juntas em uma cama em uma cabana esplendidamente decorada erigida atrás do mastro do navio. A câmara funerária estava decorada com tapeçarias ornadas e continha vários pertences: móveis, vestimentas, calçados, pentes, trenós e um balde decorado de forma elaborada, todos arranjados em torno das mulheres. Os esqueletos de quinze cavalos, seis cães e duas pequenas vacas também estavam presentes. O cômoro foi invadido durante o passado medieval e todos os objetos de metal precioso que deveriam ter sido enterrados foram roubados, mas a qualidade elevada dos itens maiores e mais pesados que permaneceram sugere que a mulher de mais idade pode bem ter sido uma rainha. Vocês podem ver o navio de Oseberg, e dois outros como ele, no Museu do Navio *Viking*, em Oslo.

sacrificados por enforcamento na árvore; cães, cavalos e homens eram pendurados juntos. Como mencionado anteriormente, mitos associados a Óðinn enfatizam a importância do enforcamento como a forma primária de morte sacrificial.

Achados arqueológicos também reforçam nossa compreensão do mundo mítico nórdico, dando-nos uma noção de como as armas, os escudos, as casas e os barcos mencionados nas histórias podiam parecer. Esses objetos materiais expandem nossa recriação imaginativa dos mundos dos deuses e heróis. Alguns itens encontrados em túmulos sugerem que certos homens e mulheres eram praticantes de magia e que usavam objetos misteriosos em seus rituais. Descrições de navios funerários em textos míticos indicam que embarcações funerárias eram incendiadas ou lançadas ao mar. Esse tipo de cerimônia não deixaria quaisquer traços arqueológicos; contudo, o navio funerário de Oseberg prova que navios eram considerados de fato apropriados para sepultar os corpos de homens e mulheres nobres.

Bjorn Grotting/Alamy.
O navio Oseberg do século IX, em exposição no Museu do Navio Viking, em Oslo, Noruega.

Uma antiga imagem gotlândica gravada em pedra

Uma surpreendente imagem gravada em pedra vem de Austers, no distrito de Hangvar, na Gotlândia, e data de 400 a 600 EC. Ela expõe um monstro com múltiplas pernas com uma figura humana, talvez colocando a mão na boca da besta, ou ao menos segurando sua mandíbula inferior. Essa cena foi comparada à história de Týr, que perdeu a mão para o lobo cósmico Fenrir, mas requer alguma imaginação para ver essa estranha criatura de aparência miriópode como uma representação da besta que engolirá Óðinn no fim do mundo.

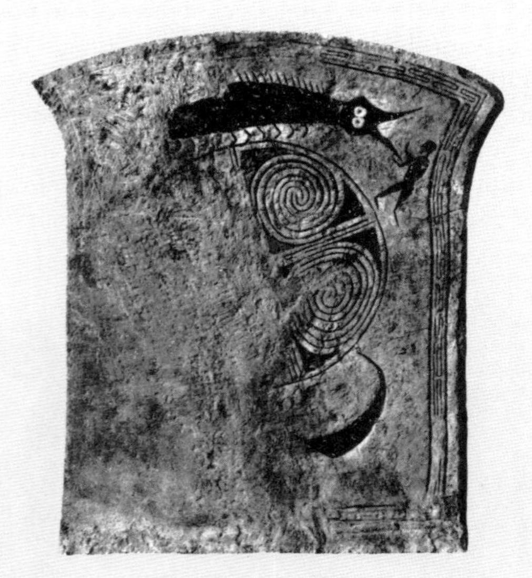

Gerda Henkel Foundation.
A imagem gravada em pedra de Austers, em Hangvar, Gotlândia.

Mais importante para confirmar e elaborar os mitos e as lendas do norte são as esculturas em pedra da era *viking* – imagens gravadas em pedra ou representações tridimensionais entalhadas de figuras sobrenaturais ou heroicas. Essas estão principalmente preservadas em postos avançados da diáspora *viking*, como a Ilha de Man ou a

Ilha da Gotlândia, que se encontram no mar Báltico entre a Suécia e a Finlândia, que há muito foi uma interseção para o comércio e a viagem nos mares do norte. Gotlândia tem 475 imagens gravadas em pedra sobreviventes, com representações entalhadas de cenas complexas. Os detalhes idiossincráticos tornaram possível identificar Óðinn em seu cavalo de oito patas Sleipnir (cf. cap. 1); cenas da lenda de Völundr o Ferreiro (cf. cap. 2); e partes da lenda de Sigurðr (cf. cap. 4).

Por vezes, como o cavalo de oito patas de Óðinn ou as representações do deus Þórr pescando a serpente Miðgarðs com a isca de cabeça de boi, há um detalhe tão particular que só pode ser explicado como pertencendo a um mito nórdico específico. Assim, podemos conectar mitos e lendas sobreviventes a esculturas de pedra em todo o mundo *viking*. Em cada comunidade, a tradição local se funde com a história herdada, e em nenhum lugar de forma

Werner Forman Archive.
Þórr e o gigante Hymir pescando com uma cabeça de boi como isca (cap. 3), na pedra de pesca de Gosforth, provavelmente do século X, na Cúmbria, norte da Inglaterra.

mais surpreendente do que na Ilha de Man, onde imagens lendárias foram entalhadas em cruzes cristãs, estabelecendo um diálogo com a crença cristã. Motivos da história de Sigurðr o Matador de Dragões, poderiam lembrar a Batalha de São Miguel e o Dragão no Livro das Revelações. A morte de Óðinn, engolido pelo lobo Fenrir no *ragnarök*, é descrita em uma cruz de eixo conhecida como a Cruz de Thorwald (em homenagem ao seu escultor, que assina o nome em runas) de Kirk Andreas em Man (cf. frontispício). A imagem oferece um poderoso contraste ao Cristo, que, diferentemente do Pai de Todos, ressuscitará após a morte. A história de Sigurðr é relatada também em pedras e objetos provenientes de locais tão distantes quanto a região do Volga da Rússia e a famosa pedra de Ramsund, na Suécia (cf. p. 140). Veremos, nos últimos capítulos, como essas imagens se encaixam às fontes textuais.

Cada vez mais, novos achados de trabalhos feitos em metal, muitas vezes de figuras muito pequenas, estão sendo identificados como imagens dos deuses nórdicos. Esses incluem uma representação recentemente desenterrada de Óðinn de Lejre, na Dinamarca, entronado com seus dois corvos pousados no encosto

Nationalmuseet, Copenhague.
Óðinn de Lejre, na Dinamarca. A imagem é flanqueada por dois corvos, e veste um traje feminino.

(À esquerda) Nationalmuseet, Copenhague;
(À direita) Statens Historiska Museet, Estocolmo.
À esquerda: Uma figura feminina com espada e escudo, possivelmente uma valquíria, *c.* 800, recentemente escavada em Hårby, na Dinamarca.
À direita: Uma pequena figura de metal que se considera ser Freyr, de Rällinge, na Suécia.

da cadeira, e um exemplo surpreendente de uma figura feminina armada (uma valquíria) escavada em Hårby, na Dinamarca. Esses tomam seus lugares ao lado da imagem bem conhecida de Þórr, de Eyrarland, na Islândia (cf. p. 103), e a pequena estátua com o enorme falo de Rällinge, na Suécia, usualmente identificada com Freyr. A interação de arqueologia, mito e lenda é dinâmica; novas descobertas continuam a infletir e reconfigurar nossa compreensão imaginativa.

ᛟ OUTRAS TRADIÇÕES GERMÂNICAS ᛟ

Finalmente, na interpretação dos mitos nórdicos, podemos fazer uso de tradições comparativas do mundo da Primeira Idade Média falante do alemão. Os anglo-saxões cultuavam deuses, com nomes similares aos dos deuses nórdicos antigos – Tiw, Woden, Thunor, Fricg, que deram seus nomes aos dias da semana em inglês (*Tuesday* [terça-feira], *Wednesday* [quarta-feira], *Thursday* [quinta-feira] e *Friday* [sexta-feira]), assim como Týr, Óðinn, Þórr e Frigg nas línguas escandinavas. Há poucas referências aos deuses na literatura inglesa antiga; uma ocorre na poesia de sabedoria, em que os poderes salvadores de Cristo são contrastados com a afirmação de que *Woden worhte weos* (Odin criou ídolos). Outra é encontrada no "Amuleto das Nove Ervas" (*Nine Herbs Charm*), que invoca Odin golpeando uma serpente com nove *wuldortanas* (ramos de glória). Entre o escasso número de textos que sobreviveram no alemão culto antigo estão alguns amuletos, mencionando deuses com nomes reconhecidamente similares àqueles do antigo panteão nórdico.

Em comparação às ricas explanações da *Edda em prosa* de Snorri, ou mesmo à lógica das histórias na poesia édica, esses fragmentos das culturas vizinhas são provocantemente misteriosos. A Igreja anglo-saxã não tinha interesse em preservar as crenças pré-cristãs, e seu longo monopólio sobre a escrita significou uma perda maciça da reserva de histórias do passado pagão. Tampouco o material místico foi salvo do esquecimento nas terras alemãs continentais dos anglo-saxões, onde missionários ingleses estavam engajados na salvação de almas e destruindo santuários pagãos. A lenda heroica sobreviveu um pouco melhor em ambas as línguas, e recorreremos ao épico *Beowulf* e ao poema *Deor* do inglês antigo, bem como ao *Nibelungenlied* alemão, para iluminar as lendas heroicas da Escandinávia ao longo de nosso caminho.

1

OS DEUSES E AS DEUSAS

ᛟ AS DIVINDADES NÓRDICAS ᛟ

Há dois grupos distintos de deuses nórdicos: a maioria, Æsir; e os geralmente mais misteriosos, Vanir. Ambas as tribos têm membros masculinos e femininos, mas, embora os Æsir femininos sejam conhecidos como Ásynjur (deusas), os Vanir não parecem ter um termo separado para suas mulheres, talvez porque Freyja seja a única sobre a qual conhecemos algo. Æsir é o plural do substantivo Áss, que significa "deus"; quando o termo é usado sozinho como "o Áss", usualmente se refere a Þórr.

ᛟ OS ÆSIR ᛟ

Óðinn, cujo nome significa algo como "o Furioso", é o líder dos deuses; ele é, por vezes, chamado de o "Pai de Todos", mas não é um nome que ocorre com frequência. Ele é um deus da guerra, mas, diferentemente de Freyr, é mais estrategista do que guerreiro, ensinando a seus heróis escolhidos formações de batalha efetivas,

---

Óðinn

- Líder dos Æsir. Caolho, barbudo, idoso.
- Deus da sabedoria, da magia, da batalha, do reino; cultuado pela elite; selecionador dos mortos.
- Símbolo: lança chamada Gungnir.
- Salões: principalmente Valhöll (Valhalla, Salão dos Mortos), mas vários outros, incluindo Glaðheimr (*Glad-home* [Lar Feliz]) e Valaskjálf (*Shelf of the Slain* [Plataforma dos Mortos]), onde Hliðskjálf (*Opening-shelf* [Plataforma de Abertura]), o trono elevado que lhe permitia avistar os mundos, está situado.
- Transporte: pelo cavalo de oito patas Sleipnir, mas, muitas vezes, viaja a pé e disfarçado.
- Associações animais: corvos (Huginn e Muninn, "Pensamento" e "Memória"); lobos (Geri e Freki, "Predador" e "Devorador").
- Casado com Frigg; numerosas ligações com mulheres gigantas e humanas. Seus filhos são Þórr, Baldr, Víðarr, Váli, Höðr.
- Particularmente importante na Dinamarca.

Árni Magnússon Institute for Icelandic Studies, Reykjavik.
Óðinn caolho com seus corvos e sua lança, em um manuscrito islandês do século XVIII.

incluindo uma com a forma de um focinho de porco, a *svínfylking*. Óðinn incita o conflito, de modo que pode ver quem é digno de entrar em seu grande salão Valhöll (Valhalla), para se juntar ao *Einherjar*, os guerreiros que lutarão com os deuses no *ragnarök*. Ele decreta a derrota ou a vitória na batalha, e é capaz de conferir imunidade aos ferimentos com sua lança, embora, por vezes, envie valquírias para determinar quem vencerá ou perderá.

Óðinn é também o deus da sabedoria, e a busca onde quer que possa ser encontrada. Ele sacrificou um dos olhos no Poço de Mímir para obter o conhecimento arcano e se enforcou na Árvore do Mundo Yggdrasill a fim de obter o conhecimento das runas, o sistema de escrita germânico que permite aos deuses e aos humanos registrarem seus conhecimentos para a posteridade.

Valquírias

Valquírias são mulheres sobrenaturais que moram no Valhöll. Elas servem vinho e hidromel aos guerreiros que vivem lá. Também têm como tarefa ir à batalha, onde concedem vitória ou derrota – seu nome significa "Selecionadoras dos Mortos". Por vezes, Óðinn as instrui sobre quem deve vencer, e, por vezes, elas tomam a iniciativa de escolher quem as acompanhará de volta ao Valhöll. Nem todos os reis ficam entusiasmados em serem convidados para se juntar aos guerreiros da elite (mas mortos), em vez de continuarem governando sobre a Terra. Um poema memorial para o rei norueguês Hákon o descreve como distintamente rabugento, mesmo quando os maiores heróis do passado o acolhem no salão. A valquíria Brynhildr é punida por Óðinn por desobedecer ordens e dar vitória a um homem mais jovem e bonito. Algumas meninas humanas também adotam a vida das valquírias como donzelas escudeiras. Isso lhes permite escolher um esposo heroico que pode salvá-las do casamento com um pretendente indesejado, como veremos no capítulo 4.

Interfoto/Alamy.
Uma valquíria em pleno combate, esculpida por Stephan Sinding (1910).

Olive Bray, *Sæmund's Edda*, 1908 (The Viking Club).
Óðinn se enforcando em Yggdrasill. Ilustração de W.G. Collingwood para a tradução de Olive Bray, de 1908, da *Edda poética*.

Sei que fiquei suspenso em uma árvore exposta ao vento
por nove longas noites,
ferido por uma lança, dedicado a Óðinn,
eu para mim mesmo
nessa árvore cuja raiz ninguém sabe de onde vem.

Nem com pão nem com bebida alguma servida em um chifre, eles me revigoraram,
abaixo espreitei;
peguei as runas, gritando as peguei,
então, de lá me retirei.
"Ditos do Altíssimo", v. 138-139.

Óðinn também conhece feitiços para realizar várias coisas: animar os mortos, extinguir fogos, invocar os ventos. Ele lista dezoito deles em *Hávamál* ("Ditos do Altíssimo"), mas declina de dar detalhes ou de revelar a última, que não dirá a mulher alguma, a menos que seja sua amante ou irmã – e, como não há evidências de que tenha tido uma irmã, e como não termina necessariamente bem seus relacionamentos amorosos, esse segredo pode ser mantido, de fato, por um tempo muito longo.

Uma das principais preocupações de Óðinn é descobrir tanto quanto possa sobre o *ragnarök*, o fim do mundo. Com essa finalidade, ele visita vários povos nos mundos divino e humano (cf. cap. 5 e 6). Ele sabe que a morte do filho Baldr é um dos presságios mais importantes do fim, mas espera – de algum modo – poder encontrar uma maneira de falsificar as profecias sobre a catástrofe por vir. Ele também é um exímio praticante de magia, de um tipo particularmente desprestigiado chamado *seiðr* (cf. cap. 2, p. 84). Não sabemos muito sobre o que isso significa, mas parece principalmente ser a província de mulheres. Quando os homens a realizam, eles têm que travestir-se: algo que é inerentemente vergonhoso na cultura nórdica. De fato, Óðinn e Loki têm uma discussão sobre isso no poema *Lokasenna* ("A querela de Loki"). Quando Óðinn acusa Loki de passar oito invernos sobre a Terra na forma de uma vaca leiteira e de uma mulher, criando filhos lá, Loki responde que seu irmão de sangue praticava *seiðr* na Ilha de Sámsey (moderna Samsø, situada entre a Suécia e a Dinamarca) "e batia o tambor como as profetisas". Frigg intervém rapidamente para dizer aos dois deuses para não discutirem esses assuntos misteriosos e antigos em público.

Óðinn é o patrono dos reis. Veremos, no capítulo 4, como ele se interessa por reis e heróis humanos. Ele tem interesse em colocar seus favoritos no trono, e também quer que governem efetivamente. Todavia, junto à tarefa de escolher os melhores heróis para Valhöll, ele também supervisiona a morte de reis e heróis, um papel que, muitas vezes, eles consideram uma traição. Em alguns poemas, eles reprovam Óðinn quando chegam no Valhöll, reclamando, corretamente, que não se pode confiar nele.

Runas

As runas são o sistema escrito germânico, que antecede a introdução do alfabeto no norte com a chegada do cristianismo. As runas foram desenvolvidas bem no começo do século I EC, provavelmente a partir de uma versão do alfabeto romano, e talvez na área do Reno. As letras foram adaptadas para serem fáceis de entalhar em superfícies duras como madeira ou pedra. O antigo *futhark* (como é chamado o alfabeto, em alusão às primeiras seis letras) era constituído de vinte e quatro ou vinte e cinco letras. Mais tarde, o alfabeto foi simplificado como o *futhark* mais jovem, no final do século VIII, na Escandinávia. Esse continha apenas dezesseis letras, e a maioria das inscrições rúnicas sobreviventes o utiliza. As runas representavam um som, como "b" ou "th", mas cada runa também tinha um nome: "f" era *fé* (dinheiro, propriedade), por exemplo. Nos mitos nórdicos antigos, as runas têm propriedades mágicas – Óðinn as usa para enfeitiçar a Princesa Rindr (cf. cap. 6). Nas sagas, há casos de pessoas doentes piorando porque runas cortadas erroneamente foram usadas para tentar curá-las.

O *futhark* mais antigo.

National Museum of Art, Estocolmo.
Þórr como deus do trovão, em sua biga puxada por uma cabra para golpear gigantes com seu martelo. Pintada por Mårten Eskil Winge (1872).

O principal papel de Þórr é defender o reino dos deuses contra os ataques de gigantes. Ele passa boa parte do tempo viajando pelo leste, onde trava guerras com gigantes e gigantas usando seu poderoso martelo Mjöllnir. Þórr é o deus que forja uma relação estreita com humanos; ele tem dois servos, um menino e uma menina, chamados Þjálfi e Röskva. Embora as afiliações de Loki com gigantes devessem deixar Þórr muito desconfiado com ele, os dois deuses, muitas vezes, faziam aventuras juntos. O oponente de Þórr no *ragnarök* é a serpente Miðgarðs, uma filha de Loki, que surge do mar.

Þórr

- Golpeador de gigantes, de barba vermelha, irascível e não especialmente inteligente. Deus do clima, do mar (na Islândia), dos campos e das plantações; cultuado pelos agricultores.
- Símbolos: o martelo Mjöllnir; um par de luvas de ferro; o cinto do poder divino.
- Salões: Þrúðheimr (Lar do Vigor); Bilskírnir (com 540 portas).
- Transporte: biga puxada por cabras.
- Associações com animais: as cabras Tanngnjóstr e Tanngrisnir (Rangedora de Dentes; Moedora de Dentes). Esses animais podem ser mortos e comidos e se reconstituem na manhã seguinte.
- Casado com Sif, a dos cabelos dourados; filho de Jörð (Terra, uma giganta) e Óðinn.
- Filhos: Magni e Móði e filha Þrúðr. Em um poema, Þórr volta para casa e encontra a filha noiva de um horrendo anão; o deus testa o anão Alvíss (Que Tudo Sabe) sobre conhecimentos arcanos até o sol nascer, e ele se transforma em pedra.
- Deus mais importante na Noruega e na Islândia.

Assim como Óðinn está interessado em descobrir se o *ragnarök* é inevitável, Þórr também tem um enfrentamento anterior com a serpente Miðgarðs (cf. cap. 3 para a história completa).

Não se sabe muito sobre Heimdallr, a sentinela divina, que mantém um olho aberto para a aproximação de inimigos. Ele soprará sua poderosa corneta no começo do *ragnarök*. Sua orelha está – misteriosamente – mergulhada no Poço de Mímir, como o olho de Óðinn, mas isso não prejudica sua capacidade de vigiar, pois tem uma audição tão aguçada que pode ouvir a lã crescer nas costas de uma ovelha. Heimdallr também é responsável por estabelecer a hierarquia social entre humanos. O poema *Rígsþula* (Lista de Rígr) diz como, assumindo o nome Rígr (uma palavra irlandesa para "rei"), Heimdallr caminha pelo mundo humano. Ele chega a três casas sucessivamente: uma cabana camponesa, uma herdade agradável e uma casa nobre. Em cada lugar é convidado a entrar, oferecem-lhe comida e, por três noites, ele dorme entre o homem e a mulher na cama. Cada mulher,

Árni Magnússon Institute for Icelandic Studies, Reykjavik.
Heimdallr com a trombeta de Gjallar, que ele soprará para sinalizar a chegada do *ragnarök*. De um manuscrito islandês do século XVIII.

Heimdallr

- Conhecido como o deus branco; tem dentes de ouro.
- Sentinela dos deuses que se senta no limite do domínio destes. Suas costas estão sempre sujas do barro que cascateia pela Yggdrasill.
- A sua orelha está escondida no Poço de Mímir, aos pés da Yggdrasill.
- Símbolo: a grande trombeta Gjallar, soprada no começo do *ragnarök*.
- Salão: Himinbjörg (Refúgio Celestial).
- Associação animal: o cavalo Gulltoppr (Topete Dourado).
- Filho de nove mães, todas irmãs. Lutou sob a forma de foca contra Loki; eles estão destinados a se encontrarem novamente em combate no *ragnarök* (cf. cap. 6).

Abbie Farwell Brown, In the Days of the Giants: *A Book of Norse Tales*, 1902 (Houghton, Mifflin and Co.).
O radiante Baldr, que se crê invulnerável, permite que outros deuses lhe joguem projéteis. À direita, um Loki encapuzado coloca o dardo de visco na mão do cego Höðr (cap. 6). Elmer Boyd Smith (1902).

Baldr

- O melhor e mais brilhante dos deuses; irradia luz.
- Possui cílios extremamente loiros.
- Morre jovem. Retornará após o *ragnarök*.
- Salão: Breiðablikr (Visão ampla).
- Casado com Nanna, que vai para o Hel com ele.

mais tarde, dá à luz uma criança. O bebê do casal camponês é Thrall, feio, mas musculoso, destinado ao trabalho manual. O filho do casal agricultor é Karl, um próspero pequeno produtor rural que trabalha a própria terra; enquanto o casal nobre criou Jarl, ou Earl, um esplêndido jovem aristocrata. O filho mais jovem de Jarl é Konr *ungr*, "jovem Konr", uma frase que significa "rei" (*konungr*). Quando Konr chega à idade avançada, Rígr passa a ministrar a ele conhecimento das runas. O poema é interrompido quando Konr está planejando obter um reino por meio da batalha.

Baldr tem pouco a fazer nos mitos nórdicos, exceto morrer; a história de seu assassinato é relatada no capítulo 6. De todos os deuses, ele é o único que tem os vínculos parentais mais fortes, e quando, antes da morte, começa a ter sonhos ruins, seus pais entram em ação. Ele é acidentalmente assassinado pelo irmão, enquanto a esposa morre de tristeza no funeral. É profetizado que Baldr retornará às moradas dos deuses após o *ragnarök*. Essa informação é crucial para Óðinn, pois lhe oferece esperança de que alguns dos deuses retornarão para recriar o mundo.

Ocupando uma posição estranha e ambivalente, Loki tem parentesco misto, o que torna suas lealdades incertas. Ele é o irmão de sangue de Óðinn, e o deus mais elevado jurou jamais beber cerveja, a menos que a Loki também seja oferecida uma bebida. Loki está sempre pondo os deuses em apuros, e, assim, muitas vezes, tem de tirá-los desses apuros. Sua sorte termina quando, ao se vangloriar no poema "A querela de Loki", seu papel na morte de Baldr se torna claro, e é capturado e amarrado até o *ragnarök*. Nesse dia, ele declarará a lealdade final aos gigantes e marchará com eles contra os deuses. A mãe de Loki parece ser uma deusa, e seu pai, um gigante, uma combinação contrária às regras normais de casamento divino. Sua relação com uma giganta resulta em quatro filhos monstruosos. Seu gênero é também sujeito a deslize: ele é a mãe do cavalo de oito patas, Sleipnir (cf. cap. 3); engravida após comer um coração feminino meio-cozido; e, como Óðinn afirma, parece ter passado oito invernos abaixo da terra como uma mulher.

Árni Magnússon Institute for Icelandic Studies, Reykjavik.
Loki e sua invenção, a rede de pesca, de um manuscrito islandês do século XVIII.
Uma rede como essa provoca a captura de Loki (cap. 6).

Loki

- Filho de uma deusa e um gigante. Bonito, mas de temperamento perverso, e de comportamento variável. Excepcionalmente arguto, enquanto sua sexualidade é distintamente polimorfa.
- Casado com Sigyn. Tem dois filhos. Snorri os nomeia Váli e Nari ou Narfi; a *Edda poética* os chama Nari e Narfi. Pai desses monstros cósmicos com a giganta Angrboða: Fenrir, o lobo poderoso; a serpente Miðgarðs; e Hel, a deusa da morte. Também é a mãe (cf. cap. 3) de Sleipnir, o cavalo de oito patas de Óðinn.

ᛟ OS VANIR ᛟ

Os Vanir são um importante subgrupo de deuses. Como passaram a estar entre os Æsir é explicado no capítulo 2. Existem quatro Vanir nomeados: Njörðr e seus dois filhos, Freyr e Freyja, que vivem em Ásgarðr, o reino dos deuses; e Kvasir, o mais sábio dos deuses, que tem um destino bem conturbado (cf. cap. 3).

Árni Magnússon Institute for Icelandic Studies, Reykjavik.
Njörðr soltando os ventos, de um manuscrito islandês do século XVII.

Njörðr

- Um dos Vanir. Deus do mar.
- Tem supervisão de pescadores e das viagens marítimas e da caça.
- Pode aquietar os ventos.
- Atributos: pés excepcionalmente limpos. Não gosta das montanhas.
- Salão: Nóatún (Estaleiro), no litoral.
- Casado com a giganta Skaði por um período. Pai de Freyr e Freyja, alegadamente com a irmã.

A principal reivindicação de Njörðr à fama é o seu casamento malsucedido com a giganta Skaði (cf. cap. 3). A relação incestuosa anterior com a irmã, com quem teve Freyr e Freyja, parece ser permitida entre os Vanir; certamente, a filha é acusada de ter feito sexo com o irmão, e com vários outros homens. Njörðr partilha a raiz do nome com Nerthus, uma deidade feminina germânica mencionada

Nerthus, uma antiga deidade germânica

Nerthus, como Tácito nos conta, foi a deusa Mãe Terra dos Langobardi, uma tribo germânica que viveu no norte da Itália. Nerthus viveu em um bosque sagrado em uma ilha em um lago. Na ilha havia uma biga sagrada que somente o sacerdote de Nerthus tinha permissão para tocar. Em torno da biga havia uma cortina, e, ocasionalmente, a deusa se manifestaria por trás dela. Nesses momentos, o sacerdote levaria a biga, atrelada a vacas, entre as pessoas, de modo que a deusa pudesse visitá-las. Nenhuma guerra ou luta era permitida enquanto a deusa estava em viagem; paz e felicidade irrompiam. Quando a jornada da deusa terminava, biga e vacas, e talvez a própria deusa, eram lavados por escravos no lago sagrado. Depois, os escravos eram afogados no mesmo lago, "um lugar de misterioso horror", escreve Tácito.

Martin Oldenbourg, *Walhall, die Götterwelt der Germanen*, 1905 (Berlim). Nerthus é carregada por seus sacerdotes entre as pessoas. Emil Doepler (1905).

Felix Dahn, *Walhall: Germanische Götter- und Heldensagen*, 1901 (Breitkopf und Härtel). Freyr com seu javali, Gullinbursti (Pelo Dourado). Johannes Gehrts (1901).

Freyr

- Um dos Vanir. Belo. Mencionado como um líder de guerra, mas, na Suécia, está encarregado, principalmente, das plantações, do clima e das colheitas.
- Atributos: abriu mão de sua espada e deve lutar com o chifre de um cervo no *ragnarök*.
- Salão: Álfheimr (Lar do Elfo).
- Transporte: um barco dobrável, feito por anões, chamado Skíðblaðnir.
- Associação animal: o javali Gullinbursti (Pelo Dourado).
- Casado (ou teve um relacionamento) com Gerðr, uma giganta. Tem um filho chamado Fjölnir. Possível relação sexual com sua irmã Freyja. Ancestral dos reis da Suécia.

Coleção particular.
Freyja, a bela deusa do amor de cabelos dourados. John Bauer (1911).

Freyja

- Pertencente aos Vanir. Boa para invocar nos assuntos do coração, gosta muito de canções de amor. Escolhe metade dos mortos, com Óðinn.
- Símbolos: manto voador de penas de falcão. Chora lágrimas de ouro. Possui o colar *Brisinga men*.
- Salões: Folkvangr (Planície do Povo) e Søkkvabekkir (Bancos Abaixo da Superfície).
- Transporte: biga puxada por gatos.
- Casada com Óðr, que partiu em uma jornada, mas, aparentemente, dormiu com quase todo mundo, incluindo o irmão.

---

pelo historiador romano Tácito, escrevendo em 98 EC. Njörðr, claramente, experienciou uma mudança sexual em sua jornada para o norte, mas os detalhes do culto a Nerthus correspondem a algumas evidências arqueológicas para o culto de figuras de madeira na Idade do Ferro escandinava tardia.

O nome de Freyr significa simplesmente "Senhor" e tem dois papéis. Um, menos frequentemente mencionado, de um líder de batalhas, aparentemente um guerreiro mais prático do que Óðinn, o tático. Ele é chamado de o líder de guerra dos "deuses" e um "cavaleiro ousado" que liberta cativos de suas correntes. Seu outro papel é o de deus da fertilidade de animais e dos campos. Como ancestral dos reis da Suécia, Freyr trazia boas colheitas, e pessoas eram oferecidas a ele em sacrifício por prosperidade. Muitas vezes, considerou-se a história de seu cortejo à giganta Gerðr (cf. cap. 3) como refletindo a ação do deus-sol sobre a Terra na primavera. Ele também possui um javali chamado Gullinbursti (Pelo Dourado), que permite ser montado.

Freyja, cujo nome significa "Senhora", é a deusa mais estreitamente associada à sexualidade, embora também tenha algum tipo de autoridade sobre os mortos. Seu esposo Óðr partiu em uma longa jornada, e ela chora lágrimas de ouro em sua ausência. Loki a acusa de ter tido sexo com o irmão – mas, depois, como uma deusa da fertilidade associada a assuntos de amor, Freyja parece ter tido sexo com todo mundo. "Dos Æsir e dos elfos que estão aqui / cada um foi seu amante", afirma Loki. E, quando os deuses a pegaram no ato com Freyr, ela ficou tão alarmada que flatulou! Ela é também uma patrona dos humanos e ajuda o protegido Óttarr a obter sua herança, questionando a giganta Hyndla (cf. cap. 3).

O gosto de Freyja por joias é evidenciado pelo preço que estava preparada a pagar pelo maravilhoso colar *Brisinga men* (cf. p. 73-74). Ela fica tão satisfeita com seu novo tesouro que o usa inclusive na cama. Para Snorri, Freyja tem duas filhas, cujos nomes são Gersemi e Hnoss. Ambas são palavras para "tesouro", consolidando a associação da deusa com o ouro.

ᛟ ÆSIR MENOS IMPORTANTES ᛟ

Týr, o deus de uma mão, dá vitória na batalha. Ele perdeu a mão nas mandíbulas do grande lobo, Fenrir; como isso aconteceu é contado no capítulo 3. Týr é associado à lei e à justiça, e, maldosamente, Loki o repreende pela falta de equidade a esse respeito. Pouco mais se sabe sobre ele. Sua mãe é, aparentemente, uma das Ásynjur, ainda que casada com um gigante muito desagradável. O nome de Týr o

Árni Magnússon Institute for Icelandic Studies, Reykjavik.
Týr, observado por Óðinn, coloca a mão na boca de Fenrir, enquanto os grilhões são apertados em torno das patas do lobo. De um manuscrito islandês do século XVIII.

Olive Bray, *Sæmund's Edda*, 1908 (The Viking Club).
Víðarr, o "deus silente", ataca Fenrir (cap. 6).
W.G. Collingwood (1908).

conecta com Zeus e Júpiter (eles vêm da mesma raiz), e talvez fosse originalmente um deus do céu. Na forma inglesa antiga, Tiw, ele dá nome a *Tuesday* [terça-feira].

Höðr, o deus cego, é o irmão de Baldr. Os deuses preferem não falar sobre ele, diz-se, devido a seu papel na morte do irmão. Höðr será morto por Váli em vingança pelo assassinato de Baldr e também retornará nos dias gloriosos após o *ragnarök*, quando "todos os ferimentos serão curados", e viverá, depois, em paz com o irmão.

Víðarr é conhecido como o deus silente e tem sapatos com solado grosso. Necessitará desses no *ragnarök*, quando terá de vingar seu pai, Óðinn, por saltar na boca de Fenrir, o lobo, e deslocar suas mandíbulas.

Váli nasceu para vingar Baldr. Como isso ocorre é narrado no capítulo 6.

Forseti é o deus a quem todos recorrem para dificuldades legais. Ele tem o melhor lugar de juízo em seu salão, conhecido como Glitnir (Lugar Brilhante). Ele é filho de Baldr, e seu nome é o título dado agora ao presidente da Islândia.

Árni Magnússon Institute for Icelandic Studies, Reykjavik.
Ullr, sobre esquis, com seu arco, e talvez a árvore teixo da qual foi feito. De um manuscrito islandês do século XVIII.

Ullr é o deus do arco e flecha; é um excelente esquiador e é bom para ser invocado caso estejamos indo lutar em um único combate. Ele vive em Ýdalir (Vale dos Teixos), convenientemente, pois a madeira de teixo é um excelente material para fazer arcos. Ele é filho de Sif, e, assim, sobrinho de Þórr, mas ninguém sabe quem é seu pai.

Finalmente, Bragi, que é o deus da poesia, da eloquência e da linguagem e é casado com Iðunn. Ele era, muito provavelmente, de origem humana; um dos poetas mais antigos nomeados no nórdico antigo era chamado Bragi o Velho, e alguns de seus poemas foram preservados. Ele parece ter sido uma adição tardia ao panteão.

ᛟ AS ÁSYNJUR (DEUSAS) ᛟ

Frigg, esposa de Óðinn, sabe tudo sobre destino, mesmo que não revele seu conhecimento publicamente. Que seu salão seja chamado Fensalir (Salões do Pântano) sugere que ela tem uma afinidade com águas paradas, e é possível que alguns dos primeiros sacrifícios da Idade do Ferro, feitos pelo depósito de objetos preciosos nos lodaçais dinamarqueses, possam ter sido intencionados em honra a ela. A contraparte inglesa antiga de Frigg, *Fricg*, dá nome a *Friday* [sexta-feira] no inglês; Freyja não é conhecida fora da Escandinávia, então é Fricg que possui fortes associações com sexo na Inglaterra anglo-saxônica.

Sif é casada com Þórr e tem um cabelo dourado excepcionalmente bonito. Seu cabelo foi roubado por Loki – não está claro como o fez, mas ele insinua que dormiu com ela, o que lhe deu oportunidade para realizar o roubo. Sif chorou pela perda dos cachos, mas Loki reparou o dano com um conjunto de cachos postiços feito por um anão. Essa peruca se prendeu instantaneamente à cabeça de Sif e era ainda mais bela do que o cabelo original. O "cabelo de Sif" é, portanto, um *kenning* para ouro.

Iðunn, casado com Bragi, é a guardiã das maçãs da juventude eterna. Os deuses necessitam comê-las regularmente para permanecerem jovens e vigorosos. Quando ela e suas maçãs são raptadas por um gigante astuto (cf. cap. 3), os deuses, rapidamente, decaem e ficam velhos. Como de costume, é uma situação criada por Loki, que tem de remediar com sua engenhosidade habitual.

Gefjun visitou Gylfi, da Suécia, disfarçada de uma mulher errante, e, como "recompensa por seu entretenimento", Gylfi concordou em deixá-la ter algumas terras – o bastante para que quatro bois pudessem

---

Frigg

- A mais importante das deusas.
- Patrona do amor e do casamento.
- Atributos: conhece todo destino. Também se considera que tenha um manto voador de penas.
- Salão: Fensalir (Salões do Pântano).
- Casada com Óðinn, mãe de Baldr. Sua criada é Fulla.

Foto: Blood of Ox.
Gefjun conduz o arado com os quatro filhos gigantes transformados em bois, a fim de criar a ilha dinamarquesa de Sjælland. Estátua esculpida em 1897-1899, por Anders Bundgaard, para uma fonte em Copenhague.

arar em um dia e uma noite. Isso poderia ter constituído uma fazenda de tamanho decente, mas, de fato, Gefjun tinha quatro filhos gigantes. Eles foram transformados em bois e conduzidos, em uma maratona de aração de vinte e quatro horas, para lavrar um enorme buraco no território de Gylfi. O buraco é, agora, o terceiro maior lago da Suécia, o Lago Mälaren, e a terra que eles retiraram formou a ilha dinamarquesa de Sjælland, onde Copenhague se encontra. Gefjun, Snorri nos conta, é uma donzela e a patrona das donzelas, o que não corresponde, exatamente, à história do filho gigante. Como Frigg, considera-se que Gefjun sabe tudo sobre o destino.

Skaði, uma giganta e guerreira, é a deusa da caça e do esqui. Seu salão é Þrymheimr (Lar de Þrymr – Þrymr é um gigante), herdado do pai, Þjazi.

Quando Skaði marcha, completamente protegida por uma armadura e bradando suas armas, em Ásgarðr, ela está buscando compensação pela morte de Þjazi pelas mãos dos deuses (cf. cap. 3). Nessa ocasião, ela é persuadida a aceitar um esposo dentre os deuses, com a condição de que deve escolher a partir de uma série de candidatos escondidos atrás de um lençol. Como somente os pés são visíveis, ela

Mary H. Foster, *Asgard Stories: Tales from Norse Mythology*, 1901
(Silver, Burdett and Company).
Skaði em seu *habitat* nas montanhas, caçando sobre esquis. Desenhado por H.L.M. (1901).

termina selecionando Njörðr, o deus associado ao mar – cujos pés são, é claro, notavelmente brilhantes e limpos! Skaði fica desapontada, porque esperava conseguir Baldr como esposo, mas é persuadida por Loki de que se ele a fizer rir, ela aceitará a situação. Skaði, visivelmente deprimida, não estava disposta a se divertir, mas Loki amarra uma cabra pela barba aos seus testículos e, em um jogo de cabo de guerra, cada um puxa para uma direção. "Ambos gritam muito alto com isso", diz Snorri. Loki cai no colo de Skaði, e, finalmente, ela ri. O burlesco sexualizado funcionou. Contudo, como veremos, o casamento entre Skaði e Njörðr não foi bem-sucedido.

Fulla, a criada de Frigg, usa os cabelos soltos e é encarregada da coleção de sapatos da deusa. Fulla é uma deusa muito velha; ela aparece num encantamento no alemão culto antigo, registrado no século X.

Um encantamento usado pelos deuses

No assim chamado "Segundo Encantamento Merseburg", Baldr, Woden, Friia (Frigg) e Volla (Fulla) são mencionados junto a outras figuras não identificadas: Phol, Sinthgut e Sunna. Phol e Woden estavam cavalgando em direção ao bosque quando o cavalo de Baldr torceu a pata. As deidades femininas e Woden conjuraram a pata a se recompor: "osso a osso, sangue a sangue, junta a junta". O membro foi curado, e – o feitiço sugere – o mesmo encantamento pode ser usado para curar outras criaturas. Essa pequena história é uma memória mítica, invocando ações efetivas dos deuses para provocar uma cura no presente.

Martin Oldenbourg, *Walhall, die Götterwelt der Germanen*, 1905 (Berlim). Frigg e suas criadas, com Baldr e Óðinn, inclinando-se ao cavalo ferido de Baldr. Emil Doepler (1905).

Agora que os deuses e as deusas foram introduzidos, é hora de olhar para os mitos nos quais aparecem. Começamos bem no começo do Tempo, com as origens dos deuses e a criação do mundo, no próximo capítulo.

2

CRIANDO E CONCEBENDO O MUNDO

ᛟ COMO CRIAR UM MUNDO ᛟ

No começo do tempo, Ymir criou seu assentamento
não havia areia nem mar nem ondas frias;
não havia terra nem céu acima,
um vazio imenso de caos, não havia grama em lugar algum.

Antes que os filhos de Burr criassem a superfície terrestre,
aqueles que formaram o glorioso Midgard.
"A PROFECIA DA VIDENTE", V. 33-34.

Criar um universo onde nada existe senão *ginnunga gap*, um imenso vazio, não é uma tarefa fácil. Deuses criadores necessitam de criatividade e planejamento para trazer um mundo à existência, e eles também necessitam de material do qual construir sua criação. O Deus judaico-cristão criou o mundo por meio da Palavra, o *Logos*. Quando ele ordena "Que haja luz", a luz surge, e suas palavras movimentam o resto do processo da criação. Em outras mitologias da criação, figuras femininas dão à luz o mundo; céu e terra se unem, e tudo o que existe nasce dessa união. Os nórdicos antigos têm ao menos três mitos da criação ativos; cada um nos conta algo diferente sobre os modos como podemos imaginar a criação. A versão citada anteriormente sugere que os filhos de Burr (Óðinn e seus irmãos Vili e Vé) evocaram a terra do *ginnunga gap*. Nas linhas que seguem em *Völuspá* ("A profecia da vidente"), alho-poró (um tipo superior de grama) começa a crescer no solo pedregoso, e a tarefa de criar o mundo parece já estar completa.

Oferecendo sua própria elaboração, baseada na teoria científica medieval, Snorri explica a criação como uma síntese de oposições. Ginnunga gap, ele nos conta, é um lugar situado no norte: um abismo cheio de gelo que surgiu de um rio chamado Élivágar, cuja corrente venenosa se solidificou em frio e gelo. A terra do fogo, Muspellsheimr, domínio do gigante do fogo Surtr, situa-se ao sul. E quando as fagulhas que escaparam de Muspellsheimr pousaram sobre o gelo de Ginnunga gap, ele começou a derreter, e a vida – gerada pela união do calor e da secura do fogo com o frio e a umidade do gelo – foi engendrada sob a forma de um homem. Ele nomeou ambos como Aurgelmir e Ymir, o progenitor dos gigantes do frio. Enquanto Ymir dormia, ele suava, e, de suas axilas, surgiu um homem e uma mulher. Seus dois pés também deram à luz uma criança: esses foram os primeiros gigantes.

Se os filhos de Burr evocaram a terra das profundezas, ou se mergulharam e a produziram, não fica claro a partir da descrição anterior. Mas a tradição nórdica antiga oferece um segundo método: um que envolve violência e desmembramento. Os filhos de Burr pegaram o gigante de *Ur* Ymir, mataram-no e usaram as partes de seu corpo para formar as diferentes partes do mundo, de acordo com os "Ditos de Grímnir":

Karl Gjellerup, *Den ældre Eddas Gudesange*, 1895 (Copenhague).
Os filhos de Burr criam o mundo erguendo-o do abismo primevo. Lorenz Frølich (1895).

Árni Magnússon Institute for Icelandic Studies, Reykjavik.
Auðhumla, a vaca primeva, retira Burr do gelo com a língua.
De um manuscrito islandês do século XVIII.

Uma vaca cósmica

Uma vaca cósmica chamada Auðhumla surgiu do gelo e nutriu Ymir com seu leite. Enquanto ela lambia a geada cristalizada, a figura de um homem poderoso e bonito chamado Búri começou a aparecer. Búri era o pai de Borr (outro nome para Burr), e *ele* foi pai de Óðinn e os irmãos Vili e Vé. O que ocorreu com Auðhumla depois, não sabemos. Talvez tenha perambulado para pastar a nova grama brotando da terra que surgia. Auðhumla pode ter tido alguns descendentes, por histórias posteriores que nos contam sobre vacas sagradas que eram importantes para reis pré-cristãos.

Da carne de Ymir, a Terra foi criada,
e de seu sangue, o mar,
as montanhas, de seus ossos; as árvores, de seu cabelo;
e de seu crânio, o céu.

E de seus cílios, os alegres deuses
fizeram Miðgarðr para os filhos dos homens;
e de seu cérebro, as nuvens endurecidas foram todas criadas.
"Ditos de Grímnir", v. 40-41.

O mundo no qual os humanos vivem (Miðgarðr, o "Lugar Intermediário"), portanto, é construído a partir do corpo de um ente assassinado, criado por meio da violência e da selvageria, em um ato criativo que é um evento totalmente masculino. Os mitos nórdicos antigos estão muito relacionados desde o ponto de vista dos Æsir – ou seja, dos deuses masculinos – e, quanto à criação, se apropriaram dos poderes de dar vida, de nutrir e da fertilidade, que são, normalmente, do gênero feminino. Diferentemente das mulheres, os deuses não podem criar o material de que necessitam para a criação a partir de seus próprios corpos e, assim, devem tirar a matéria de onde podem encontrá-la. Ao entrelaçarem agressão ao tecido do universo, os deuses incorporam e endossam a violência entre humanos e deuses. Se essa versão do mito da criação é a mais antiga, ou se é um produto cultural dos séculos beligerantes do começo da Idade do Ferro ou mesmo da era *viking*, não temos como saber. Pode ser importante que o ato criativo mais pacífico (embora ainda exclusivamente masculino) de criar a terra a partir do mar seja recontada em "A profecia da vidente", um poema que possivelmente foi composto por volta do ano 1000, quando ideias cristãs já estavam fortemente permeando o pensamento mitológico nórdico.

ᛟ ESTABELECENDO O TEMPO ᛟ

Uma vez constituído o mundo e definido e mapeado o espaço, o próximo movimento dos deuses é regular os corpos celestes. Sol, lua e estrelas parecem já existir, mas sem um percurso estabelecido nos céus. As deidades se encontram em um conclave solene e estabelecem as subdivisões do tempo:

à noite e seus filhos eles deram nomes,
pela manhã eles nomearam e ao meio-dia
à tarde e à noite, para calcular em anos.
"A PROFECIA DA VIDENTE", V. 6, LL. 5-10.

O sol e a lua são imaginados de diferentes modos. Uma tradição diz que se movem rápido pelos céus porque ávidos lobos estão em seu encalço; esses lobos, provavelmente, são avatares do lobo cósmico Fenrir, que os captura e consome no *ragnarök*. Em outra parte, os corpos celestes são conduzidos em bigas, dirigidas por figuras cujos nomes são relacionados ao Dia e à Noite e puxados por cavalos chamados Skínfaxi (Crina Brilhante) e Hrímfaxi (Crina Gelada). Agora

Nationalmuseet, Copenhague.
Modelo da Idade do Bronze de uma biga do sol, com data entre 1800 e 1600 AEC, de Trundholm, Dinamarca.

que o tempo havia sido estabelecido, os deuses são responsáveis por suas consequências não previstas. A emergência do passado, do presente e do futuro traz incerteza e alguma perda de poder. Pois os gigantes possuem memórias mais longas e melhores do passado do que as dos deuses que representam a terceira e a quarta gerações de descendentes do gigante de *Ur*, e guardam esse conhecimento zelosamente. Tampouco o futuro é claro para os deuses; profetisas e alguns gigantes têm um conhecimento mais claro do que muitos dos Æsir sobre o que está por vir. Embora se considere que as deusas Gefjun e Frigg conheçam o destino, elas não revelam o que sabem. A busca por descobrir o futuro, para descobrir os detalhes do *ragnarök* e, talvez, para discernir se pode ser evitado é uma das obsessões de Óðinn, como veremos no capítulo 6.

Ao desenvolverem um sistema de tempo que opera dentro de ciclos (os ciclos recorrentes dos dias e dos anos no ciclo maior da criação, *ragnarök* e *renascimento*), os deuses provocaram a emergência do destino: eventos futuros na existência de indivíduos e grupos sociais que podem ser previstos, mas não podem ser impedidos. Os próprios deuses estão sujeitos ao destino e devem obedecer às suas leis.

As três donzelas do destino

Sob Yggdrasill, a Árvore do Mundo, há um salão ou uma fonte (ou, concebivelmente, um salão próximo a uma fonte) em que habitam as três donzelas do destino: Urðr, Verðandi e Skuld. Dizem que elas cortam lascas de madeira nas quais os destinos individuais são gravados. Urðr tem um nome antigo, relacionado a *wyrd*, a palavra inglesa antiga para "destino" e a antecedente do inglês moderno *weird* [estranho]. Verðandi representa o presente, pois a forma de seu nome é um gerúndio (*Becoming* [Tornando-se]), enquanto Skuld (*Must-be* [Deve ser]) parece evocar o futuro. Uma aceitação estoica de como o destino opera é crucial para que o herói cumpra seu destino, como veremos nos capítulos 4 e 5.

Johnston (Frances Benjamin) Collection/Library of Congress, Washington, D.C.
Uma representação do universo mítico nórdico, com Yggdrasill crescendo por meio de Ásgarðr, e os mundos dos humanos, gigantes e mortos agrupados nas raízes, em *Northern Antiquities* [*Antiguidades nórdicas*], de Bishop Percy (1847).

ᛟ O CENÁRIO MÍTICO ᛟ

Uma vez formado o espaço e estabelecido o tempo, estamos em condição de descrever a geografia do universo mítico nórdico. Central é Yggdrasill, a Árvore do Mundo, o grande freixo, cujas raízes, usualmente em número de três, definem as diferentes regiões do mundo.

Três raízes crescem lá em três direções
sob o freixo de Yggdrasill;
Hel vive sob uma; sob a segunda, os gigantes de gelo;
sob a terceira, a humanidade.

"Ditos de Grímnir", v. 31.

Det Kongelige Bibliothek, Copenhague.
Heiðrún, a cabra, de pé sobre o telhado de Valhöll, aparando as folhas do Yggdrasill. Próximo a ela, um recipiente para conter o hidromel que flui de suas mamas. De um manuscrito islandês do século XVIII.

Snorri concorda que o mundo dos mortos, Niflheimr (Mundo de Névoas), governado pela filha de Loki, Hel, situa-se sob uma das raízes, e que a segunda desce para o antigo Ginnunga gap, o reino frio dos gigantes de gelo, mas substitui o mundo humano pelo mundo dos deuses, Ásgarðr em seu modelo. Miðgarðr é o mundo dos humanos, um espaço central, ecoado no termo inglês antigo *Middangeard*, "*earth*" [Terra], imaginado como se situando entre o céu e o inferno na visão de mundo cristã (compare à Terra Média de J.R.R. Tolkien). Todavia, embora se considere que os mundos diferentes estejam situados abaixo do lugar onde a árvore emerge do solo, os reinos vizinhos de deuses e gigantes também são imaginados como ocupando um plano horizontal, com Jötunheimar (as Terras de Gigantes) situando-se no leste montanhoso. Ásgarðr é concebido

Árni Magnússon Institute for Icelandic Studies, Reykjavik.
Os animais de Yggdrasill: a águia e o falcão pousados no topo; os quatro cervos nas laterais; Ratatöskr, o esquilo, no fundo, à esquerda; e o dragão Níðhöggr roendo as raízes a partir de baixo. De um manuscrito islandês do século XVIII.

como o centro do cosmos; o enorme salão de Óðinn, Valhöll, está situado dentro dele, sob Yggdrasill. Uma cabra chamada Heiðrún está sobre o telhado e pasta no freixo. De suas mamas chega o suprimento sem-fim de hidromel que sustém os habitantes do Valhöll, os *Einherjar*, os humanos heroicos mortos.

Heiðrún não é o único animal a ser associado com Yggdrasill. O nome da árvore significa "Corcel do Terrível", um epíteto que deriva da história do sacrifício de Óðinn (cf. cap. 1); no pensamento germânico, há uma metáfora bem-estabelecida que compreende a forca como o cavalo montado pelo criminoso que é enforcado nela. Embaixo, serpentes roem as raízes. Uma águia faz ninho no topo da árvore, com um falcão pousando entre seus olhos; e um esquilo com o nome maravilhosamente onomatopaico de Ratatöskr corre para cima e para baixo no tronco, trazendo notícias dos mundos de cima e de baixo. Entre as serpentes está a criatura mais terrível de todas, o dragão Níðhöggr (Cinzelador Hostil), que, por vezes, voa pelo mundo mítico; é um augúrio de horror. Essas criaturas afetam a árvore, simbolizando a ação do tempo como erodindo sua essência, corroendo o eixo simbólico do mundo em torno do qual tudo gira. Embora os cervos sejam aristocráticos em suas associações e a cabra esteja se alimentando, eles desgastam a árvore assim como as cobras mais obviamente más.

Yggdrasill também abriga, sob a copa, o Poço de Mímir (cf. p. 83), mais adiante neste capítulo) e talvez, ainda, o corpo de água perto do qual moram os destinos. Barro branco brilhante cai em cascata da árvore, aparentemente para o Heimdallr, pois Loki o acusa de ter "costas imundas". Também no Poço, dizem, estão a orelha de Heimdallr e o olho de Óðinn, prometidos em troca de um gole de suas águas. Os dois órgãos-chave sacrificados pelos deuses (o terceiro, a mão de Týr, sem dúvida engolida por Fenrir quando ele a arrancou com os dentes, é irrecuperável) permanecem próximos, talvez ainda ligados aos antigos possuidores. Pois a lógica da troca sacrifi-

Mulheres sobrenaturais: nornas e *dísir*

Várias figuras femininas sobrenaturais estão associadas ao destino. As nornas têm diferentes funções: algumas são hostis, outras ajudam com o parto, outras determinam o destino de um recém-nascido. Heróis, muitas vezes, falam sobre "o julgamento das nornas" quando estão moribundos, apercebendo-se de que a hora fatal chegou. As *dísir* são um grupo coletivo de espíritos, considerados ancestrais mulheres, que trazem morte a reis e heróis. Em uma história islandesa, um jovem é prevenido a não entrar no terreno de uma fazenda uma noite, mas ele entra. No céu, ele vê um grupo de nove mulheres vestidas de negro, simbolizando as antigas crenças e a nova religião cristã. Antes que o jovem possa retornar para casa da fazenda para informar o que vira, as mulheres vestidas de negro o atacam, e ele morre após relatar sua experiência. Um norueguês profético identifica as mulheres de negro como *dísir* associadas com a família e a fazenda, que abandonarão a linhagem quando o cristianismo chegar.

Karl Gjellerup, *Den ældre Eddas Gudesange*, 1895 (Copenhague).
As três nornas, mulheres sobrenaturais fatais, perto do poço sob Yggdrasill.
Lorenz Frølich (1895).

cial – que algo cedido é recompensado por uma restituição melhor, ampliada – sugere que a audição apurada de Heimdallr e a percepção de Óðinn, embora não sua visão literal, originem-se do poder da água viva do poço.

Além do Valhöll e suas proximidades imediatas, cada deidade tem seu próprio grande salão, um lugar de autoridade e domínio, muito semelhante aos salões de chefes tribais da era *viking* escavados em Gamla Uppsala, na Suécia; em Lejre, na Dinamarca; ou mesmo o agora reconstruído salão de Eiríkr o Vermelho, em Brattahlíð, na Groenlândia. Óðinn lista doze desses salões no poema *Grímnismál* ("Ditos de Grímnir"), cada um pertencente a um deus particular. Os nomes dessas moradas indicam luz, esplendor, alegria ou atributos particulares do deus, como Yewdales, onde o deus arqueiro Ullr vive; a madeira do seixo era uma primeira escolha para a fabricação de arcos. A descrição de Óðinn invoca as atividades dos deuses quando entronados em seus salões: beber, fazer julgamentos e mitigar querelas, montar em cavalos, e – talvez ominosamente – escolher os mortos, o equivalente divino do recrutamento de novos seguidores para o séquito dos chefes tribais.

Foto: Carolyne Larrington.
Salão reconstruído de Eiríkr o Vermelho, em Brattahlíð, na Groenlândia.
Acreditava-se que os deuses nórdicos habitassem salões semelhantes.

Fora, além de onde os gigantes vivem, está o oceano. No extremo mais distante, marcando a fronteira do mundo conhecido, situa-se a serpente Miðgarðs, Jörmungandr, o Bastão Poderoso, à espera do combate com Þórr. Abaixo das profundezas do oceano vive Ægir, senhor do mar, talvez um gigante, talvez um deus, com a esposa, Rán, cujo nome significa "roubo" (o primeiro elemento da palavra "ransack" [saquear]). Rán persegue as vidas dos homens, capturando-os em sua rede e arrastando-os para as profundezas. Suas filhas com Ægir são as ondas, por vezes sacudindo suas cabeças com calma e com comportamentos pacíficos, por vezes se elevando perigosamente acima dos barcos que pretendem destroçar.

Que a esposa e as filhas de Ægir sejam as que ameaçam marinheiros, que a morte no mar seja do gênero feminino, tudo isso se alinha a uma percepção cultural ampla de que as valquírias, as *dísir*, as nornas e a própria Hel, governante do mundo dos mortos, incorporam a Morte como uma mulher desejosa, que pretende tomar o homem moribundo como seu amante na próxima vida e que anseia por envolvê-lo em seu abraço fatal. Como as mulheres dão à luz, posicionam-se no fim da vida, esperando pelo homem condenado a vir para os seus braços. O grande poeta islandês do século X, Egill Skalla-Grímsson, termina seu poema trágico *Sonatorrek* ("Sobre a perda dos filhos") com este verso:

Foto: Jan Taylor.
Rán, deusa do mar, esculpida como a figura de proa de *Jylland*, uma fragata dinamarquesa restaurada do século XIX.

Agora, é difícil para mim;
a irmã do inimigo de Óðinn [= Fenrir; irmã de Fenrir = Hel]
surge no promontório;
todavia, contente, com boa vontade,
e sem medo devo esperar por Hel.
"Sobre a perda dos filhos", v. 25.

ᛟ CRIANDO A CULTURA ᛟ

Deixamos os deuses no momento em que o mundo era todo novo e o Dia e a Noite tinham recém-embarcado em suas rotas reguladas pelos céus. Ainda há trabalho a ser feito para tornar adequado para a vida o mundo fresco e verde dos deuses, e, assim, começaram:

Os deuses se encontraram na Planície Idavoll,
no alto, construíram altares e templos;
instalaram suas forjas, forjaram coisas preciosas,
fizeram tenazes e ferramentas.
"A profecia da vidente", v. 7.

Quando os lugares em que serão cultuados estão completos, eles se voltam à manufatura, fazendo uso dos amplos metais valiosos que têm à sua disposição. A civilização é inaugurada, talvez como nas cidades da era *viking*, como Birka, na Suécia, e Hedeby (agora, norte da Alemanha), com a construção de centros de culto e oficinas. Os Æsir também produzem artigos de luxo para si. Quando seu trabalho está completo, eles relaxam:

Eles jogavam damas no campo, eram felizes,
não necessitavam de ouro algum,
até que três meninas ogras chegaram,
mulheres todo-poderosas, da Terra dos Gigantes.
"A PROFECIA DA VIDENTE", V. 8.

Lembre-se do jogo de damas – ele se tornará importante mais tarde. O "até" é tanto crucial como misterioso, aqui, pois, logo após a chegada das meninas ogras, os deuses se encontram no que parece ser uma sessão de emergência e decidem criar os anões, presumivelmente, para impedir a repentina escassez de ouro. Os anões são criaturas subterrâneas; é debaixo da superfície da terra que criam tesouros de ouro que os deuses cobiçam – e pelos quais estão dispostos a pagar. Como as meninas provocaram a perda do ouro? (Em uma aposta em um jogo de damas?) Receberam como aposta em um jogo de damas? Alguém virou o tabuleiro em um acesso de fúria e,

Nomes de anões de Tolkien

J.R.R. Tolkien tirou os nomes da maior parte de seus anões de *O Hobbit* da lista do poema "A profecia da vidente". Dvalinn, Óin e Glóin, Fíli e Kíli, Dori, Nori e Ori, Bifur, Bofur e Bombur, todos têm equivalentes entre os convidados do chá de Bilbo, o *hobbit*. Thorin Oakenshield, seu líder, tem dois nomes de anão a seu favor. Durinn e Thrain, também nomes nórdicos tradicionais de anões, estão entre os ancestrais dos anões. Gandálfr também aparece como um nome de anão no poema, um nome que significa "*Staff-elf*" [Elfo do bastão] e que funciona, como Tolkien percebeu, muito melhor como um nome de mágico: Gandalf o Cinzento.

Abbie Farwell Brown, *In the Days of Giants: A Book of Norse Tales*, 1902 (Houghton, Mifflin and Co.).
Os anões forjando Mjöllnir. A lança Gungnir de Óðinn; Gullinbursti, o javali; Skíðblaðnir, o navio; e o anel Draupnir são visíveis no primeiro plano, enquanto Þórr observa com ar de aprovação. Elmer Boyd Smith (1902).

então, perdeu as peças? Quando a giganta Skaði começou a marchar para Ásgarðr, ela estava buscando recompensa pela morte de seu pai, Þjazi. As meninas ogras poderiam, igualmente, estar exigindo um acordo pela morte do ancestral Ymir, mas uma coisa é certa: com a sua chegada, a era do ouro terminou.

Os anões são rapidamente criados – Snorri nos conta que eles se revolviam na terra como vermes na carne, uma imagem horrivelmente vívida, e recorre ao catálogo de nomes de anões encontrado em "A profecia da vidente" para listá-los.

Os anões vivem no subterrâneo ou nas rochas e trabalham sem parar forjando metal e criando coisas preciosas. Alguns dos tesouros mais importantes dos deuses são feitos por anões, como o barco dobrável Skíðblaðnir, as tranças douradas de Sif, que substituem o

Moesgaard Museum, Højbjerg/Dagli Orti/The Art Archive.
Entalhe da face de Loki de Snaptun, Dinamarca (*c.* 1000). As marcas dos pontos de costura na boca do deus são facilmente visíveis.

cabelo roubado por Loki, e a lança Gungnir de Óðinn. Esses todos foram manufaturados pelos irmãos anões, os filhos de Ívaldi. Outro anão, Brokkr, apostou com Loki que ele e o irmão poderiam fazer três tesouros igualmente bons; a aposta era a cabeça de Loki. Essa competição foi apertada, pois Brokkr e o irmão criaram o javali de pelo dourado, no qual Freyr monta (cuidando, assim, dos interesses de Vanir); o anel de ouro Draupnir, do qual, a cada nove noites, caem oito anéis igualmente pesados (dado a Óðinn); e o grande martelo de Þórr, Mjöllnir. Loki tentou fortemente sabotar o processo, transformando-se em um moscardo zumbidor e picando os artesões. Eles conseguiram ignorar a persistente peste, exceto durante a tarefa final: forjar o Mjöllnir. A distração momentânea foi o bastante para fazer com que o cabo do martelo ficasse um pouco curto. Contudo, o júri dos deuses concordou que Mjöllnir era um tesouro amassador de gigantes tão superior que Brokkr foi o claro

A. & E. Keary, *The Heroes of Asgard: Tales from Scandinavian Mythology*, 1891 (Macmillan). Freyja encontra os anões forjando o colar *Brisinga men*. Louis Huard (1891).

vencedor, e que Loki deveria entregar sua cabeça. O engenhoso deus se esquivou sorrateiramente de seu destino estipulando que Brokkr poderia ter sua cabeça, mas não seu pescoço, e, como nenhum anão foi habilidoso o bastante para conseguir isso, Loki foi poupado. Mas Brokkr propôs que, em vez disso, a boca de Loki fosse costurada, de modo que não pudesse realizar mais trapaças verbais, e, desde então, o deus tem tido uma boca deformada. E essa é uma imagem que não é completamente inapropriada para alguém conhecido como *rœgjandi goðanna* (o maledicente entre os deuses).

Uma história muito tardia, datando do século XIV, que também alega que Freyja é amante de Óðinn, relata como esse tesouro altamente desejável, o *Brisinga men* (Colar dos Brisings) passou a ser da deusa. Freyja está caminhando, um dia, próximo a uma rocha onde vivem alguns anões, e, ao notar que a porta da rocha está aberta, ela entra. Lá, ela vê que quatro anões, incluindo Dvalinn (conhecido de outras fontes), estão produzindo um maravilhoso colar de ouro.

"Freyja realmente gostou da aparência do colar", diz o narrador da história, "e os anões realmente gostaram da aparência de Freyja". A deusa oferece ouro e prata em abundância em troca do *Brisinga men*, mas os anões são inflexíveis quanto ao preço: Freyja deve passar uma noite com cada um deles; e ela, relutantemente, concorda. Após quatro noites, o colar é dela.

Óðinn exige que Loki roube o tesouro, e este entra sob a forma de uma mosca no impenetrável quarto de Freyja. Ela está dormindo com sua nova aquisição em volta do pescoço, deitada sobre o fecho, e, assim, Loki, transformando-se, agora, em uma pulga, tem de mordê-la muito precisamente, a fim de que ela se vire sem acordá-la. Freyja se agita em seu sono, e o *Brisinga men* logo está nas mãos de Loki – e, subsequentemente, nas de Óðinn. Quando Freyja vai até Óðinn para reclamar do roubo e que sua câmara seguramente trancada (claramente uma metáfora sexual) fora violada, Óðinn concorda em devolver o colar a ela sob uma condição: Freyja deve estabelecer o eterno conflito entre dois exércitos tradicionalmente conhecidos como Hjaðningavíg (a Batalha dos Hjaðnings), discutido no capítulo 5. Freyja concorda, e o colar é devolvido a ela. Essa história tardia incorpora duas tradições muito mais antigas – o roubo do *Brisinga men* por Loki e a Batalha Hjaðningavíg – em uma nova estrutura cristianizada. O conflito é concebido para durar até o *ragnarök*, graças à ressurreição dos mortos a cada noite por Hildr, uma mulher cujo nome significa "batalha"; mas, nessa versão, Óðinn prevê que durará somente até que o grande rei cristão, Óláfr Tryggvason, da Noruega, chegue a Orkney e ponha um fim ao conflito.

ᛟ O MAIOR FERREIRO DE TODOS ᛟ

Há outro ferreiro, habilidoso como os anões para criar tesouros mágicos para os deuses usarem, mas que não é um anão, e ele é tão famoso pela maestria que seu nome é conhecido na Escandinávia, na Grã-Bretanha e na Alemanha. Völundr – em inglês, Wayland o

Ferreiro; e, em alemão, Wieland – é considerado, no poema édico que reconta sua história, um "príncipe dos elfos". Völundr se casa com uma donzela cisne, uma das três irmãs, e forja uma boa quantidade de anéis. Mas, após nove invernos juntos, a noiva donzela cisne sai voando. Völunder sai em busca dela, e, em sua ausência, os homens do Rei Níðúðr invadem sua casa e roubam um dos anéis. Em seu retorno, Völundr conta seus anéis e acredita que sua esposa possa ter retornado; baixando sua guarda, cai no sono e é facilmente capturado pelos soldados de Níðuðr. Völundr é levado ao rei, e a rainha desconfiada, que não gosta do brilho selvagem nos olhos do cativo, ordena: "Tirem dele a força de seu vigor / E depois o coloquem em Sævarstaðr!" ("Poema de Völundr", v. 17). Do mesmo modo, a altamente alusiva versão inglesa antiga da história do ferreiro, preservada no poema *Deor*, conta-nos que:

> *Weland, entre serpentes, teve de conhecer a miséria,*
> *o guerreiro determinado experienciou privação,*
> *tinha como companheiros a tristeza e o anseio,*
> *a miséria do frio do inverno, muitas vezes encontrou inimigos*
> *depois Niðhad prendeu em compulsão com laços de tendões*
> *flexíveis o melhor homem.*
>
> DEOR, V. 1.

Völundr é incapacitado, tem os tendões das pernas cortados e é confinado a uma ilha onde tem de ser escravo de seu carcereiro, criando tesouros – joias, cálices, armas. Mas Völundr inverteu as coisas em relação a Níðuðr. Os filhos inquisitivos do rei fizeram a curta viagem de barco até a ilha para ver o ferreiro trabalhando e para admirar o tesouro. Völundr lhes diz para voltarem de novo, secretamente; quando voltam, ele os mata e transforma seus corpos em adornos. A palavra usada no nórdico antigo para *skulls* [crânios], *skálar*, faz um trocadilho com a palavra para *drinking-bowls* [potes de bebida], e também com a palavra para *Cheers!* [Saúde!] (*skál*, no islandês moderno):

Ele decepou as cabeças daqueles jovens filhotes,
e sob o barro da forja ele pousou seus membros;
e seus crânios, que estavam sob seu cabelo,
ele entalhou em prata, deu a Níðuðr.

E as pedras preciosas de seus olhos,
enviou à astuciosa esposa de Níðuðr;
e dos dentes dos dois
ele cunhou broches; enviou-os a Böðvildr.
"Poema de Völundr", v. 24-25.

Böðvildr, a irmã dos meninos, também visita Völundr, levando consigo um anel que ela quebrou e que pertencia à esposa dele. Völundr se oferece para repará-lo, mas também lhe serve cerveja, a violenta ou a seduz (o texto não é claro), e ela deixa a ilha, chorando tristemente. De algum modo, a posse do anel permitiu a Völundr escapar, e ele sai voando, pausando somente para confrontar Níðuðr e para revelar a terrível verdade. No inglês antigo, Beadohild (Böðvildr) está muito mais traumatizada com sua gravidez do que com a morte de seus irmãos:

O Franks Casket

O baú de osso de baleia do século VIII conhecido como Franks Casket retrata cenas dessa lenda em sua parte dianteira. Emoldurada com runas enigmáticas se referindo ao material do qual a caixa é feita, um Völundr barbudo com pernas arqueadas (da incapacitação) oferece a cerveja fatal para Böðvildr enquanto sua criada observa impassivelmente. Um cadáver pode ser visto sob a forja na qual Völundr está moldando um tesouro com suas tenazes. A atividade do homem à direita da cena, aparentemente estrangulando pássaros, não é clara quanto às tradições inglesa e édica. Em uma versão nórdica em prosa posterior, *Þiðreks Saga* ("A saga de Þiðreks"), o irmão do herói vai em seu resgate e o ajuda a construir um par de asas como aquelas feitas pelo artesão grego Dédalo; isso poderia explicar a repentina capacidade de voar adquirida por Völundr.

Para Beadohild, a morte de seus irmãos
não foi tão grave para seu espírito quanto seu próprio infortúnio,
quando percebeu claramente
que estava grávida; jamais poderia pensar
resolutamente sobre o que resultaria daquilo.
DEOR, V. 2.

O poema édico termina com a chorosa Böðvildr se explicando ao seu pai; a descrição da saga posterior conta como Völundr (aqui, chamado Vélent) retorna com um exército, destrói Níðuðr e se casa com Böðvildr: seu filho termina se tornando um famoso herói germânico. Quanto à história no inglês antigo, ela conclui com o refrão enigmático: *þæs ofereode, þisses swa mæg* ("Aquilo passou, isso também passará"). O poeta, que se chama Deor (*Dear One* [Querido] ou Animal), obtém conforto para seu próprio infortúnio considerando como misérias passadas acabaram se tornando felicidade mais tarde.

Weland (como é conhecido no inglês antigo) se torna um sinônimo para maestria; em *Beowulf*, a cota de malha (*mailshirt*) do herói é louvada como *Welandes geweorc* (trabalho de Weland). Em South

Granger, NYC/Alamy.
Völunder o Ferreiro, representado no Franks Casket anglo-saxão do século VIII. O ferreiro barbudo passa um copo de cerveja a Böðvildr. Debaixo da forja está o cadáver de um de seus irmãos.

Foto: Tristram Brelstaff.
A assim chamada Forja de Wayland, um longo montículo e uma tumba do neolítico, perto de Ridgeway, em Oxfordshire.

Oxfordshire, em Ridgeway, encontra-se uma tumba conhecida como Forja de Wayland, e a tradição local dizia que, se alguém deixasse seu cavalo lá com um pêni de prata, Weland lhe poria cascos.

ᛟ POR QUE AS PESSOAS SÃO ÁRVORES ᛟ

Os deuses presidem um mundo que partilham com anões, gigantes, elfos (sobre os quais muito pouco se sabe) e alguns monstros, os filhos de Loki e uma giganta chamada Angrboða. Até aqui não há humanos, ninguém para sacrificar ou venerar as deidades. Um dia, três deuses – Óðinn, Hœnir e Lóðurr – estavam caminhando, talvez na beira da praia, quando encontraram um pedaço de madeira, "capaz de pouco / Askr e Embla, carente de destino". Os três deuses assumiram a responsabilidade de moldar o tronco de freixo e outro pedaço de madeira (o significado de Embla não é claro, embora, por vezes, estivesse conectado com *elm* [olmo]). Os troncos sem vida são dotados com o que necessitam para se tornarem humanos:

a respiração deu Óðinn, o espírito deu Hœnir,
o sangue deu Lóðurr, e compleições novas.
"A PROFECIA DA VIDENTE", v. 18.

A identidade de Lóðurr é desconhecida; esse verso é o único lugar em que é mencionado. Snorri dá mais detalhes sobre os dons que os três deuses dispensam nos proto-humanos, mas nomeia os criadores simplesmente como filhos de Burr:

> *o primeiro lhes deu respiração e vida; o segundo, inteligência e movimento; o terceiro, faces, fala, audição e visão; eles lhes deram nomes e vestimentas.*
>
> "O ENGANO DE GYLFI", CAP. 23.

Lóðurr, por vezes, é identificado com Loki, basicamente com base na aliteração. Hœnir foi negociado com os Vanir (cf. a seguir) como um refém, mas muito pouco mais se sabe sobre ele. É surpreendente, talvez, que essas figuras obscuras tenham participado na criação dos primeiros humanos, mas esses deuses pertencem à primeira geração divina, parece, e, portanto, como os deuses gregos que precederam os olímpicos, suas características e seus atributos podem ter evanescido ao longo do tempo. Também ocorre que os mitos nórdicos sobreviventes não estão particularmente interessados nos entes humanos. Os deuses raramente os encontram, embora Þórr adquira um par de servos humanos. Somente Óðinn, com seu projeto de povoar Valhöll com os Einherjar, os melhores heróis humanos, para lutar junto aos deuses no *ragnarök*, interage mais com eles. Ele aparece a fim de aconselhá-los, admoestá-los e, finalmente, traí-los em suas últimas batalhas. Como patrono da sabedoria, Óðinn também anda por entre a humanidade, adquirindo diferentes tipos de conhecimento, reunidos no poema "Ditos do Altíssimo". Nesse poema, Óðinn viaja sozinho pelo mundo humano, aprendendo verdades como as bênçãos da amizade e a importância da moderação ao comer e beber. A propensão de Óðinn para viajar disfarçado explica seu papel nas histórias cristãs posteriores como um tentador, visitando reis noruegueses religiosos a fim de fazê-los se comportarem de um modo não cristão.

Os humanos não esquecem que foram originalmente criados a partir de árvores. Essa compreensão metafórica determina vários *kennings* escáldicos: homens são habitualmente designados com

Óðinn, o tentador

O Rei Óláfr Tryggvason se encontra em um salão no norte da Noruega pouco antes da Páscoa. Um misterioso estranho aparece no salão e mantém o rei acordado até tarde da noite, contando histórias sobre os reis e os heróis do passado. O bispo sugere que é hora de dormir, mas o rei quer ouvir mais. Quando acorda, quase dormindo demais e perdendo a missa, o estrangeiro desaparecera. Mas o rei descobre que, antes de partir, o estranho havia estado nas cozinhas, fez observações rudes sobre a qualidade da carne destinada ao banquete de Páscoa e deixou um pedaço de carne para ser servido. Como o estrangeiro havia contado uma história sobre o Rei Dixin, um governante do passado antigo que tivera uma vaca sagrada e fora enterrado com ela, a sugestão é que a carne tenha vindo do animal morto há 200 anos. Nojento! O rei se apercebe de que o tentador e contador de histórias antigas era ninguém menos que Óðinn tentando enganá-lo ao convidá-lo para admirar figuras do passado pagão e ao tentar fazer com que perdesse a missa.

variantes de "árvore de armas" ou "árvore de batalha". A valquíria Sigrdrífa trata o herói Sigurðr como "macieira de batalha" – muito apropriado, dado que uma maçã mágica foi importante para a concepção de um dos ancestrais de Sigurðr (cf. cap. 4). Helgi, assassino de Hundingr, é, como um príncipe jovem, chamado "o elmo esplendidamente nascido". Mulheres também são "árvores", ou "colunas de ouro" ou "polos de bebida", referindo-se ao seu papel em prover hospitalidade. Na poesia escáldica, há *kennings* de mulheres como "a principal bétula do fogo do mar" (ouro) ou "carvalho de vinho". A donzela escudeira Brynhildr é chamada de uma "árvore-colar". Na poesia heroica, Guðrún, a esposa de Sigurðr, faz um uso criativo do tropo para descrever sua infelicidade no assassinato de seu esposo: "Sou tão pequena quanto uma folha / entre os salgueiros agora que meu príncipe está morto"; mais adiante em sua vida, ela lamenta sua perda de parentes:

Fiquei sozinha como um álamo na floresta,
meus parentes foram cortados como galhos de um abeto,

privada de felicidade, como uma árvore de suas folhas,
quando o quebrador de galhos chega em um dia quente.
"Balada de Hamðir", v. 5.

Embora árvores não possam se mover, sua força e verticalidade, sua participação em ciclos anuais e sua longevidade e morte consequente, por doença, por fogo ou pelo machado de um lenhador, fazem delas poderosas comparadoras para a existência humana. Árvores representam aquilo a que os humanos aspiram ser: belas, dignificadas, fortes e duradouras. O fato de que humanos também são, em menor escala, pedaços da Árvore do Mundo, mudas de freixo de Yggdrasill, enfatiza a interconexão de conceitos míticos de árvores. A grande árvore, sujeita como o resto de nós ao tempo e à mortalidade, ainda assim espalha seus galhos protetores sobre deuses e homens, enquanto as pequenas árvores, como Guðrún, perde seus galhos e finalmente cai.

ᛟ A CHEGADA DOS VANIR ᛟ

Os deuses, ao que parece, mal haviam se estabelecido em Ásgarðr quando um novo grupo de divindades entra em cena: os Vanir. Eles podem ter sido os deuses originais locais da Escandinávia, e os Æsir, os estrangeiros, chegando com os indo-europeus durante a Idade do Bronze, mas carecemos de evidências para determinar quem teve prioridade no mundo ritual nórdico. Em nossos textos, contudo, é muito claro que os Æsir são o grupo dominante; a história dos deuses é Æsir-cêntrica.

O impacto dos Vanir é anunciado pela aparição de Gullveig, uma figura feminina que, de algum modo, entrou em conflito com os Æsir. Ela é imobilizada com lanças e consumida pelo fogo:

[...] no salão do Altíssimo, eles a queimaram
três vezes a queimaram, três vezes ela renasceu,
vezes sem conta, e, todavia, ainda vive.
"A profecia da vidente", v. 21.

Karl Gjellerup, *Den ældre Eddas Gudesange*, 1895 (Copenhague).
Gullveig é golpeada com lanças e incendiada três vezes pelos Æsir. Lorenz Frølich (1895).

Gullveig (Licor de Ouro) também é conhecida como "Brilhante" (Heiðr) e sob essa forma diz-se que ela visita casas e ensina práticas mágicas de *seiðr*; ele foi sempre popular entre mulheres más por essa razão, assim nos conta "A profecia da vidente". Quem é essa mulher imorredoura? Não há mais informações em outras fontes; nosso melhor palpite é que ela representa uma versão de Freyja. Ela não é uma dos Æsir, tem o poder de ressuscitar e conhece uma forma proibida de magia: tudo isso aponta para a principal deusa dos Vanir. Por isso Snorri parece concluir, pois ele caracteriza Freyja em "A saga dos Ynglings" como uma figura sacrifical e que ensina aos Æsir o *seiðr*, um tipo de magia comum entre os Vanir. Logo após os contratempos com Gullveig, os Æsir deverão se encontrar em uma assembleia para considerar se devem ou não compartilhar seus sacrifícios. A primeira guerra é inaugurada quando eles se recusam, e Óðinn atira uma lança sobre as forças dos Æsir, um gesto que tencionava torná-los invulneráveis. Mas os Vanir, como Gullveig, se mostraram impossíveis de matar, e, assim, as duas partes entraram em negociações. Reféns são trocados, e os três Vanir, Njörðr e seus filhos, passam a viver permanentemente entre os deuses. Hœnir e Mímir são enviados para Vanaheimr, mas sua estada não é um sucesso. Mímir sempre se manifestava nos conselhos, enquanto Hœnir simplesmente dizia: "Deixem que os outros decidam", embora seu parceiro não estivesse presente. Os Vanir decidiram que tinham de ter a pior das trocas, decapitaram Mímir e enviaram Hœnir de volta aos Æsir com a cabeça. Óðinn tratou a cabeça com ervas que impediam a decomposição, e com magia; assim, ela foi capaz de falar e lhe contar sobre coisas ocultas.

Hœnir (cujo nome, estranhamente, conecta-o com galinhas) possui, como veremos, limitadas aparições posteriores na mitologia ainda existente. A cabeça de Mímir parece estar associada ao Poço sob Yggdrasill, onde o olho de Óðinn está alojado, e o deus consulta a cabeça de tempos em tempos. Outras figuras chamadas Mímr ou Hodd-mímir são nomeadas nos mitos; não fica claro se são versões do próprio Mímir ou entes separados. Kvasir é um dos Vanir e também está envolvido na troca de reféns; seu destino é

Karl Gjellerup, *Den ældre Eddas Gudesange*, 1895 (Copenhague).
Óðinn atira sua lança sobre os Æsir antes da batalha contra os Vanir iniciar, a fim de conferir invulnerabilidade aos deuses. Lorenz Frølich (1895).

Seiðr: ritos secretos

Sabemos muito pouco sobre o *seiðr* como um conjunto de práticas mágicas. Pode ter sido uma forma de adivinhação espiritual, associada aos Sámi (lapões), os vizinhos do norte dos escandinavos. A provocação que Loki faz a Óðinn – "você bate num tambor como as profetisas" – sugere um ritual de tipo Sámi. Usualmente, mulheres executam o *seiðr*; na *Eiríks saga rauða* ("A saga de Erik o Vermelho"), uma vidente, vestindo um colar de contas de vidro e luvas de pele de gato, após uma refeição consistindo, basicamente, de corações de animais, senta-se em uma espécie de plataforma; auxiliada por um canto ritual, ela profetiza quando a fome naquela parte da Groenlândia terminará. O travestismo parece estar envolvido para *seiðmenn* masculino; isso é particularmente vergonhoso. Um antigo rei norueguês achou normal afogar oitenta desses bruxos, abandonando-os em um rochedo (um grupo de rochas pouco acima do nível do mar) por tramarem contra sua vida.

J.M. Stenersen & Co, *Snorre Sturlason – Heimskringla*, 1899.
Os *seiðmenn* afogados no rochedo aonde o Rei Haraldr Cabelos Bonitos os enviou para execução. Halfdan Egedius (1899).

descrito no próximo capítulo. Os Vanir remanescentes parecem ter se acomodado ao novo ambiente, adquirindo palácios e ocupando um nicho de fertilidade distinta entre as funções divinas. Njörðr é o patrono dos marinheiros e dos pescadores; as evidências estão nos poucos versos registrados por Snorri para descrever o seu rompimento marital com Skaði:

Njörðr disse:
estou cansado das montanhas
não estive lá por mais
do que nove noites;
o uivo do lobo
me pareceu horrível
além do canto do cisne.

Skaði disse:
não consegui dormir
nas camas próximas ao mar
devido ao clamor dos pássaros;
o que me despertava
a cada manhã
vindo de fora no mar: a gaivota.
"O ENGANO DE GYLFI", CAP. 23.

Wilhelm Wägner, *Nordisch-germanische Götter und Helden*, 1882 (Leipzig). Njörðr, coroado com algas, e Skaði, acompanhada por seu lobo favorito, discutem suas diferenças. Friedrich Heine (1882).

Os Vanir parecem estar sujeitos a discriminação no que diz respeito a com quem podem se casar. Freyja se casa, ao que parece; seu esposo é uma figura obscura, um dos Æsir chamado Óðr, talvez um duplo de Óðinn. Ele partiu em uma longa jornada, e ela chorou lágrimas de ouro por ele (um *kenning* popular no verso escáldico para "ouro" é *grátr Freyju,* "lágrimas de Freyja"). Freyr não tem esposa até se apaixonar pela giganta Gerðr (cf. cap. 3); e Njörðr consegue apenas esse casamento insatisfatório com Skaði; Snorri nos conta que, após a separação, Skaði e Óðinn têm um grande número de filhos. Um desses, Sæmingr, foi o ancestral de Jarl Hákon, um importante governante norueguês.

Este capítulo estabeleceu o mundo no qual os deuses vivem, as restrições sob as quais devem funcionar e o espaço por meio do qual se movem. No próximo capítulo, encontraremos aqueles outros habitantes importantes do cosmos nórdico, os gigantes.

3

PODERES OPOSTOS

ᛟ GIGANTES COMO OUTRO ᛟ

Nossa imagem de um gigante tende a ser derivada do folclore europeu: nós os retratamos como extremamente grandes, toscos e feios, e não muito inteligentes. Embora alguns dos gigantes encontrados em lendas se enquadrem nesse modelo folclórico, os gigantes dos mitos são um grupo complexo e variável. Ymir deve ter sido muito grande, de fato, já que pôde fornecer o material para manufaturar o universo, mas outros gigantes são mais próximos à escala humana (ou divina); alguns, de fato, podem mudar seu tamanho dependendo das circunstâncias. Tampouco deveria sua inteligência ser subestimada. Gigantes prevalecem no universo mítico e têm reservas de sabedoria que os deuses estão ávidos por explorar. Além disso, eles têm astúcia e duplicidade, que utilizam para perseguir seus objetivos de longo prazo; e nem sempre são os deuses que aparecem no topo dessas histórias.

Há uma série de diferentes tipos de gigantes – e termos para gigantes – no nórdico antigo. Não é claro, contudo, se as palavras distinguem sistematicamente tipos diferentes. Þurs, por vezes traduzido como "ogro", está relacionado à palavra inglesa antiga þyrs, o tipo de criatura canibal, demoníaca, que assombra pântanos, a qual encontramos no poema "Beowulf" na forma de Grendel; mas essas associações não são compartilhadas pelos primos do norte de Grendel. A fronteira entre "troll" e "gigante" é distintamente nebulosa; certos gigantes têm três cabeças ou mais e são claramente concebidos como odiosos e indesejáveis. Algumas gigantas podem ser feias, sexualmente vorazes e sinistras; elas assediam heróis e deuses, e Þórr não tem compunção em golpeá-las com seu martelo. Contando vantagens como Óðinn, seu pai disfarçado, Þórr relata uma de suas explorações:

eu estava no leste e lutei contra gigantes,
mulheres maliciosas que perambulavam pelas montanhas;
grande seria a raça gigante se todos sobrevivessem;
não haveria humanos no Miðgarðr.

"O canto de Hárbarðr", v. 23.

O controle populacional de Þórr, obtido pelo extermínio onde quer que encontrasse gigantes, parece ser importante; nos mitos, sua ausência é muitas vezes explicada por estar fora do leste, lutando contra eles.

Gigantes nem sempre são tão feios ou ameaçadores. Algumas gigantas, como Skaði, são ferozes, mas capazes de um grau de assimilação na sociedade divina; sua associação com caça e esqui pode sugerir conexões com o extremo norte da Noruega e dos sámi (lapões) que viviam de caça, de armadilhagem e de criação de renas nessa região. A Outridade gigante de Skaði pode refletir a Outridade dos sámi, cuja cultura era muito diferente da nórdica e que comercializava com – e pagava impostos para – seus vizinhos do sul. Gerðr, a filha do gigante Gymir, captura o coração de Freyr com beleza e

A Batalha de Þórr na casa de Geirrøðr

Uma dessas batalhas é registrada, de forma incomum, em um poema escáldico. Loki foi para o território do gigante Geirrøðr, usando o manto voador, e foi capturado. A fim de se resgatar, promete induzir Þórr a ir à casa de Geirrøðr sem seu martelo Mjöllnir ou seu cinto de poder divino – é uma armadilha. Felizmente, Þórr e seu servo Þjálfi param fora da casa de uma giganta chamada Gríðr, e o deus toma emprestado dela um cinto mágico excedente, seu bastão e algumas luvas de ferro. O clima nas montanhas é rigoroso, o rio sobe, e os viajantes são quase levados pelas águas. Eles se apercebem de que a elevação do rio é provocada por uma das filhas de Geirrøðr urinando; Þórr joga uma pedra nela e "obstrui o rio em sua fonte", ou assim ironiza. Na casa de Geirrøðr, Þórr é acomodado em um quarto de hóspedes, mas, quando senta-se confortavelmente em uma cadeira, ela se eleva ao teto, ameaçando esmagá-lo. Usando o bastão mágico de Gríðr para apoio, Þórr avança em direção à cadeira. Ele não apenas se salva, como quebra as costas das duas filhas gigantas escondidas debaixo dela. Quando Þórr é chamado ao salão de Geirrøðr, o gigante joga metal derretido incandescente sobre ele, mas, com suas luvas de ferro ao alcance, Þórr pega o projétil e o joga de volta, em um pilar atrás do qual o gigante está se abrigando, e no próprio gigante. Þórr triunfa uma vez mais.

Vilhelm Grønbech, *Nordiske Myter og Sagn*, 1941 (Copenhague).
Þórr machuca as costas das filhas gigantes de Geirrøðr, que estavam escondidas debaixo de sua cadeira. Ernst Hansen (1941).

fulgor; o jovem deus a vê de longe e cai em prostração até que seus pais ansiosos (Njörðr e Skaði, no papel de madrasta) enviem um dos melhores amigos, Skírnir, para saber dele por que está abatido. Skírnir, um ente indeterminado, cujo nome significa "Brilhante" e que parece representar algum elemento da função de fertilidade de Freyr, é despachado com a espada mágica de Freyr para seduzir a jovem a favor de seu senhor. Gerðr oferece ao visitante uma acolhida polida, mas não se impressiona com sua corte. Ofertas do anel mágico Draupnir e de onze maçãs (talvez idênticas às maçãs da eterna juventude de Iðunn) não tiveram efeito, tampouco a ameaça de Skírnir de que lutaria contra seu pai. Somente quando o mensageiro a ameaça com uma longa e complexa maldição, ativada pelo entalhe de runas em um graveto cortado da madeira verde, uma maldição que a condenaria à esterilidade, à ninfomania, à miséria e ao horror – e a ter somente um gigante de três cabeças como esposo –, faz Gerðr ceder. Ela concorda com um encontro do Freyr dali a nove noites, e Skírnir cavalga de volta com as boas-novas, somente para o impaciente Freyr reclamar por ter de esperar por tanto tempo.

Olive Bray, *Sæmund's Edda*, 1908 (The Viking Club).
Freyr olha do trono elevado Hliðskjálf, buscando por sua amada Gerðr, enquanto o pai e a madrasta ansiosos, Njörðr e Skaði, confabulam atrás dele. Ilustração de W.G. Collingwood para uma tradução da *Edda poética* de 1908.

A versão de Snorri dessa história a adapta a um pequeno romance; Freyr vislumbra Gerðr do Hliðskjálf, o trono elevado de Óðinn, e há uma distinta sugestão de que sua paixão seja uma punição por ele ter invadido o espaço do líder divino. Gerðr é, inegavelmente, encantadora: "seus braços brilham e deles / o mar e o ar inteiros recebem luz". Skírnir é bruscamente despachado e logo retorna com a concordância dela; não há menção à resistência de Gerðr ou à maldição. A história é recontada em "O engano de Gylfi" para explicar por que Freyr não tem espada, com a implicação de que foi tolo em trocar esse símbolo de masculinidade belicosa por uma mera mulher – um equívoco que Loki ecoa em sua crítica a todos os deuses em "A querela de Loki". Como Freyr lutará no *ragnarök* – Loki o provoca – agora que abriu mão de sua espada pela filha de Gymir?

Se Gerðr consentiu em se casar com Freyr e passou a viver, como Skaði, entre os deuses, ou se a preciosa espada foi negociada simplesmente por uma noite de satisfação sexual, não está relatado aqui. Em outra parte, Gerðr é explicitamente identificada como esposa de Freyr, e eles têm um filho, Fjölnir, ancestral dos reis suecos. O fato de que tanto Njörðr como Freyr terminam com parceiras que são gigantas, não deusas, pode, como mencionado anteriormente, ser um indicador de seu *status* inferior em comparação aos Æsir. O mito de Freyr e Gerðr tem sido, consistentemente, interpretado como um mito da natureza ou da fertilidade; o deus do crescimento e da fecundidade deve copular com a Terra (o nome de Gerðr significa "lugar, campo, protegido" e está relacionado com "garðr" em Miðgarðr e Ásgarðr). Para a terra ser produtiva, deve ceder ao abraço do deus e se abrir para o seu toque frutificador. Todavia, não está claro por que Gerðr, como símbolo da Terra, *deveria* resistir ao raio fertilizador do deus (Skírnir), tampouco por que ela deveria ser coagida a se submeter. A política de gêneros conflitante do mito se abre para outras leituras. Pois, embora gigantes sejam fortemente associados à natureza, ao caos, geralmente são representados como o Outro, o antagônico, o diferente. Nesse papel, eles estão incorporados no mundo dos deuses, não situados completamente fora dele. Há muito vai e vem entre os domínios dos deuses e dos gigantes. Os deuses, como os reis nórdicos ou os grandes proprietários de terras, tentam imprimir sua autoridade naqueles que veem como subordinados: eles comandam que os gigantes entretenham seus superiores em banquetes e concedam aos deuses vários benefícios buscados por eles.

O mito de Freyr e Gerðr, em particular a relação entre o deus Vanir e a família da giganta, também tem sido lido como político; o grupo social superior tenta forjar uma aliança com aqueles inferiores na hierarquia, e o dote – muito importante, não troca – de uma mulher tem por objetivo selar a relação. Mas essa interpretação não está realmente de acordo com o poema como o conhecemos. Freyr não tem interesse na família de Gerðr, nenhuma razão estratégica para se aliar a Gymir tomando sua filha como esposa. Em vez disso, ele é movido pelo desejo, e as táticas que seu enviado usa (suborno, com presentes que Skírnir pode não ter a autoridade para oferecer; ameaças; e, finalmente, maldições) são perturbadoramente violentas. Para mim, a história sempre parece refletir de forma alarmante a política do patriarcado. O homem poderoso vê uma mulher à qual ele

Karl Gjellerup, *Den ældre Eddas Gudesange*, 1895 (Copenhague). Skírnir, exibindo a espada mágica, e Gerðr; Gerðr ergue sua mão desafiadoramente, em uma aparente rejeição de seus avanços. Lorenz Frølich (1895).

deseja e – deslocando a coerção para seu servo – é bem-sucedido em conseguir o que quer, a despeito da recusa da mulher e de sua descrição como tendo independência e agência (ela tem autoridade sobre o ouro do pai e uma vontade própria). Talvez, então, não surpreenda que Snorri ofereça uma versão mais convencionalmente romântica.

ᛟ A BATALHA PELA CULTURA ᛟ

Durante a guerra Æsir-Vanir, os muros de Ásgarðr sofreram danos consideráveis. Em seguida, um construtor se apresenta, oferecendo-se para reconstruir as paredes da fortaleza e torná-las inexpugnáveis em três estações (a medida de tempo nórdica típica é meio ano). Em troca, ele exige o sol, a lua e Freyja. Os deuses se encontram em conclave e conseguem negociar para que ele realize o trabalho em um único inverno e sozinho. O construtor concorda, sob a condição muito razoável de que possa ter a ajuda de seu cavalo, e, então, a negociação é concluída. Imagine o horror dos deuses, depois, enquanto construtor e cavalo trabalhavam dia e noite e os muros

O mito do mestre de obras

Essa história do mestre de obras, a figura sobrenatural cujas habilidades são cobiçadas, mas cujo custo é impossivelmente alto e que termina enganado em sua recompensa, é um conto popular internacional; a versão de Snorri é extremamente antiga. Na tradição popular, a história é usualmente independente; espera-se que a audiência simpatize com o esperto construtor que termina com nada. Muitas vezes, o construtor é o demônio disfarçado, e ele ser trapaceado não é eticamente problemático. Richard Wagner faz uso da história em *Das Rheingold* ("O anel de ouro"), a primeira parte de seu ciclo operístico *Der Ring des Niblungen* ("O anel de Nibelungo"). Wotan (o equivalente de Óðinn) concluiu a negociação com os gigantes Fafner e Fasolt para construir Valhalla, seu novo palácio. Ele concordou em lhes entregar Freia como recompensa, mas, quando outros deuses protestam, ele negocia com os gigantes para entregar Rheingold em troca e, finalmente, tem de abrir mão do anel de Nibelungo, roubado do meio-anão Alberich. Alberich renunciou ao amor a fim de roubar o ouro que pertence às donzelas do Reno, e o confisco por Wotan do tesouro e do anel amaldiçoado é parcialmente responsável pelas tragédias que seguem no ciclo – incluindo a queda dos próprios deuses.

Richard Wagner, *The Rhinegold and the Valkyrie*, 1910 (Quarto). Fafner e Fasolt arrastam Freia. Arthur Rackham (1910).

Rudolf Herzog, *Germaniens Götter*, 1919 (Leipzig).
O misterioso mestre de obras e seu cavalo, construindo os muros de Ásgarðr.
Robert Engels (1919).

subiam rapidamente sobre seu domínio! Parece claro, quando restam somente três dias do inverno, que os corpos celestiais e Freyja serão perdidos, a menos que alguém consiga elaborar um plano – e Loki, culpado de persuadir os deuses a aceitarem o acordo original, é ameaçado de morte se não puder encontrar um modo de perturbar o programa do construtor. O próprio Loki se transforma em uma égua, que seduz o garanhão ajudante do construtor com um relincho e uma sacudida de sua crina. Embora o construtor persiga seu cavalo durante toda noite pela floresta, o cronograma de construção é fatalmente abreviado. Nisso, o construtor fica "gigantemente enraivecido" e revela sua verdadeira identidade. A despeito das garantias de segurança que haviam sido prometidas pelo construtor, Þórr é chamado, e (com base no fato de que o construtor não é quem afirmava ser) o deus aniquila o gigante com seu martelo. Oito meses depois, Loki dá à luz um potro: o cavalo de oito patas Sleipnir, que carrega Óðinn pelos mundos.

Statens Historiska Museet, Estocolmo.
Óðinn cavalga seu cavalo de oito patas, Sleipnir, em direção a uma mulher que lhe oferece um chifre para beber, na imagem gravada em pedra de Tjängvide, em Gotlândia.

Assim como na versão de Wagner, os deuses nórdicos são culpados, pois fizeram juramentos ao construtor, garantindo não somente sua recompensa, como também sua imunidade enquanto o trabalho está sendo realizado. Que esses juramentos sejam quebrados – com o argumento de que o construtor era um "gigante da montanha" disfarçado – é problemático. Snorri enfatiza a questão ética, citando um verso de "A profecia da vidente":

Os juramentos se quebraram, palavras e promessas,
todas as garantias solenes que haviam passado entre eles.
Þórr, sozinho, golpeou, inchado de raiva.
Ele raramente fica parado quando ouve uma coisa assim!
"A PROFECIA DA VIDENTE", V. 26; "O ENGANO DE GYLFI", CAP. 42.

Os deuses são retratados como quebradores de promessas, abrindo questões sobre culpabilidade moral que ressoam pela história divina. É permitido quebrar promessas solenes aos gigantes – mesmo que este tenha disfarçado sua identidade? Esse rompimento de uma promessa jurada marca o início da corrupção dos deuses e os leva, inexoravelmente, como se argumentou, à sua queda. Isso pode ser para supor muita coerência e continuidade entre diferentes mitos, registrados em contextos muito distintos, mas, certamente, em "A profecia da vidente", como veremos no capítulo 6, os eventos que levam ao *ragnarök* são cuidadosamente selecionados e ordenados em uma sequência que sugere, fortemente, causa e efeito.

Por agora, porém, os deuses se mostravam no topo. Os muros de Ásgarðr não são os únicos bens que os gigantes podem prover e que os deuses cobiçam. O mito culturalmente central do hidromel da poesia fala de outro tesouro assim. Uma vez mais, a substância divina é produzida por meio da violência e da transformação, e passa por diferentes partes do universo mítico antes de ser posse de deuses e homens. No momento da troca de reféns entre os Æsir e os Vanir (cf. cap. 2), ambas as partes cospem em um caldeirão, e, do cuspe, foi criado um ente chamado Kvasir. Ele foi o mais sábio dos entes e viajou ao redor do mundo ensinando sabedoria, até que foi assassinado por dois anões odiosos, que fermentaram seu sangue com mel e fizeram um poderoso hidromel. Quando questionados pelos deuses sobre seu desaparecimento, os anões prepotentes afirmaram que seu membro mais sábio havia sufocado com a própria sabedoria porque ninguém era inteligente o bastante para ser capaz de lhe fazer perguntas.

Em seguida, os anões assassinos convidaram um gigante chamado Gillingr para ir pescar, viraram o barco e o afogaram. Eles também mataram sua viúva, porque estavam fartos de vê-la chorando pelo esposo, e coube ao irmão de Gillingr, Suttungr, a vingança: levando os anões a remo até um rochedo e ameaçando abandoná-los lá para, por sua vez, se afogarem. Os anões compraram suas vidas com o hidromel de sangue; Suttungr leva o precioso líquido para casa, armazena-o em três enormes barris e pede para sua filha Gunnlöð guardá-lo. Óðinn concebe um plano elaborado para roubar o hidromel; ele chega à casa de Baugi, outro irmão de Suttungr, onde seus trabalhadores estão cortando feno. Óðinn amola suas foices com uma pedra mágica de amolar e, quando todos expressam o desejo de possuí-las, ele as joga no ar. Na pressa para pegá-las, um decepa a cabeça do outro. Isso permite que o Óðinn disfarçado assuma suas tarefas, com a condição de que Baugi o ajude dando-lhe um gole do hidromel de seu irmão. No final do trabalho, Baugi chega com Óðinn na casa de Suttungr, mas a recompensa é recusada. Com a relutante ajuda de Baugi, Óðinn perfura, com uma verruma, uma passagem na montanha Hnitbjörg (Rochas que se Chocam), onde se encontram Gunnlöð e o hidromel, e se transforma em uma serpente, a fim de se esgueirar para dentro. Lá, ele seduz Gunnlöð e dorme três noites com ela, e, então, recebe permissão para tomar três goles do precioso hidromel.

A cada gole, Óðinn esvazia barril por barril, assume a forma de uma águia e sai voando. Suttungr, percebendo o roubo, persegue-o também sob a forma de uma águia. Os Æsir preparam barris para receber o hidromel que Óðinn regurgitará quando estiver seguro entre os muros de Ásgarðr, mas ele excreta parte do hidromel para trás, na cara de Suttungr, para retardá-lo. Esse hidromel cai fora

Árni Magnússon Institute for Icelandic Studies, Reykjavik.
Baugi e Óðinn na montanha com Rati, a verruma, para chegar a Gunnlöð e ao hidromel da poesia. De um manuscrito islandês do século XVIII.

dos muros dos deuses, e qualquer um pode consumi-lo; diz-se, agora, ser a inspiração de poetas ruins em toda parte. Por meio da trapaça e da prontidão habituais para quebrar promessas, sempre forçando outros a cumprirem seus compromissos, Óðinn obtém uma grande dádiva para deuses e humanos. Essa versão é a única descrição completa da obtenção do hidromel da poesia, mas uma grande quantidade de *kennings* se refere à poesia como a "bebida dos anões", o "mar de Óðrerir" (o nome de um dos barris de Suttungr), ou o "espólio de Óðinn", confirmando os detalhes do mito.

Os deuses têm vantagem sobre outros habitantes do universo nessa história; a crueldade dos anões matadores em série, a estupidez dos trabalhadores de Baugi e a credulidade da pobre Gunnlöð seduzida validam a apropriação do hidromel pelos deuses. Melhor que poetas fizessem uso dele em vez de ser estocado nos salões de Suttungr no fundo das rochas. "Use-o ou perca-o" é uma boa

Karl Gjellerup, *Den ældre Eddas Gudesange*, 1895 (Copenhague).
Gunnlöð é persuadida por Óðinn, por um gole do hidromel da poesia. Lorenz Frølich (1895).

Árni Magnússon Institute for Icelandic Studies, Reykjavik.
Óðinn, na forma de uma águia, excreta parte do hidromel durante a perseguição de Suttungr. De um manuscrito islandês do século XVIII.

A traição de Óðinn a Gunnlöð

No poema "Ditos do Altíssimo", Óðinn se gaba dessa aventura. Usando a verruma para abrir seu caminho para os salões de Suttungr, arriscando sua vida, ele convence Gunnlöð a deixá-lo beber do precioso hidromel: "uma pobre recompensa eu a deixei ter em troca / por sua amabilidade / por seu triste espírito", ele admite pesarosamente. A beleza de Gunnlöð foi comprada barato; ela foi seduzida pelo deus, que pode ter lhe prometido noivar com ela. No dia seguinte ao roubo, os gigantes do gelo foram ao salão de Óðinn perguntar sobre o que ocorrera; tendo "feito um juramento sobre o anel sagrado / como se pode acreditar nessa promessa?" Óðinn reconhece que a mentira e o coração partido de Gunnlöð valiam a pena, a fim de trazer de volta à luz o hidromel da poesia. Gunnlöð, sem dúvida, tem outra opinião.

---

máxima para tesouros culturais; os poetas que contam a história do hidromel da poesia estão juntos em sua crença de que é melhor que a dose inspiracional seja compartilhada entre eles.

Outra história conta a aquisição de um poderoso caldeirão de cerveja dos gigantes pelos deuses. Os deuses ordenam que Ægir, senhor do mar, ofereça-lhes um grande banquete, comportamento que ecoa as práticas aristocráticas e soberanas da Escandinávia, pois reis e grandes senhores viajavam com seus séquitos para os lares daqueles que ocupavam suas terras e esperavam ser banqueteados. Isso dividia o ônus de manter o séquito do rei entre seus nobres, usando seus recursos em vez dos dele, e também permitia ao rei observar o que os senhores estavam tramando: se estavam impondo a lei, apropriadamente coletando e repassando impostos, ou se estavam tramando rebeliões. Do mesmo modo, os deuses impõem a Ægir a obrigação de oferecer hospitalidade. À sua objeção de que não tinha caldeirão suficientemente grande para fermentar cerveja para todos, Týr responde que o pai, o gigante Hymir, possui um enorme caldeirão, partindo com Þórr rumo à Terra dos Gigantes para pegá-lo.

Týr e seu companheiro matador de gigantes chegam à casa de Hymir, onde a mãe de Týr, uma bela mulher "toda adornada com ouro... com sobrancelhas brilhantes", os acolhe calorosamente, mas expressando ansiedade quanto à reação de seu esposo a seus convidados. A avó de Týr (presumivelmente do lado paterno), em contraste, tem 900 cabeças. Quando Hymir volta para casa, declara que emprestará o caldeirão se um de seus visitantes puder carregá-lo. Isso é uma dica para vários testes de força. A mãe de Týr avisou para os dois deuses se sentarem atrás de um pilar no salão, de modo que, quando o olhar devastador de seu esposo se dirigisse a eles, fosse o pilar a ser destruído, e não eles. Após Þórr comer dois bois inteiros, Hymir o leva para pescar a fim de obterem mais provisões; a história da viagem de pesca está relatada na p. 105. O sucesso de Þórr leva o gigante a estabelecer outro desafio: o deus pode levar o caldeirão se puder esmagar o cálice do gigante. Chocando-o contra os pilares de pedra no salão, resulta apenas em mais dano ao prédio, até que a

Foto: Researchers/Alamy.
Figura de Þórr, de Eyrarland, Islândia.

mãe de Týr revela que a cabeça de Hymir é a mais dura de todas as substâncias, e o cálice é destruído com sucesso. Þórr tem permissão para levar o caldeirão, carregado emborcado sobre sua cabeça, de modo que os anéis em suas bordas tilintam em seus calcanhares. Os dois deuses não estavam muito longe quando se aperceberam de que Hymir e suas coortes iam rapidamente em seu encalço. Virando-se para enfrentá-los, Þórr os destrói, e leva o caldeirão para casa. O poema conclui, em um tom triunfante: "e os deuses beberão em deleite / cerveja em cada inverno na casa de Ægir" (para o último banquete sediado por Ægir, cf. cap. 6).

A história do caldeirão de Hymir se encaixa no padrão tradicional dos deuses tomando dos gigantes os objetos de que necessitam, pois, de uma perspectiva dos Æsir, eles simplesmente deram ao caldeirão dos gigantes um uso melhor. Há uma certa melancolia em

DeAgostini/SuperStock.
Þórr pescando a serpente Miðgarðs. Johann Heinrich Füssli (1788).

relação à consciência do gigante de suas perdas sucessivas: o cálice é esmagado em sua cabeça, o caldeirão é confiscado, e sua esposa conluía com o filho e seu notório companheiro assassino de gigantes para tomar ou destruir as posses estimadas do esposo. Como a mãe de Týr chegou a se casar com um gigante – porque ele, o deus associado à lei e à justiça, deveria ter uma paternidade gigante – não se sabe. Foi sugerido que talvez Loki tenha ocupado outrora o papel de Týr nessa história; nesse caso, não seria a única aventura na qual Loki e Þórr se associariam, e Loki parece ser uma mistura de sangue gigante com Æsir. O que surpreende, nesse poema, é a frieza de Hymir, que personifica as forças do inverno. Gotas de gelo tilintam em sua barba quando chega da caçada, e com o olhar frio

A expedição de pesca de Þórr

Após Þórr ter devorado quase toda a comida da casa de seu anfitrião, Hymir decide que vai pescar para repor os estoques de alimento. Provocativamente, Þórr arranca a cabeça de um dos touros de Hymir para usar como isca. Deus e gigante remam oceano adentro, além dos limites normais de pesca, e, embora capture duas baleias, Hymir expressa seu nervosismo quanto a pescar tão longe. Mas Þórr havia posto sua linha, e uma criatura marítima não menos impressionante que a serpente Miðgarðs engole a isca de cabeça de touro. O poderoso monstro é puxado para fora do mar; deus e serpente se encaram em um impasse cósmico. Em alguns poemas antigos, Þórr mata a serpente Miðgarðs nesse momento, mas outras tradições exigem que a criatura sobreviva para lutar contra o deus no *ragnarök*. Figuras em pedras mostram como, na batalha titânica entre os dois, Þórr, algumas vezes, coloca seu pé direito na parte de trás do barco enquanto segura a linha em que o monstro está se agitando. Hymir, aterrorizado pelo comportamento ousado de Þórr na pesca, puxa uma faca e corta a linha, de modo que a serpente Miðgarðs mergulha de volta nas profundezas. Na versão de Snorri para a história, Þórr bate nos ouvidos de Hymir, de modo que ele cai do barco e se afoga; a serpente, enquanto isso, ganha tempo até o *ragnarök*.

devasta o que se encontra diante dele. Somente a insistência de sua esposa sobre as leis do parentesco e da hospitalidade fazem Hymir se lembrar de observar as normas sociais no que concerne a seu filho e o convidado, e há uma boa quantidade de comédia no horror dos gigantes com a forma como o prodigioso apetite de Þórr esgota seus estoques de comida.

Þórr, por sua vez, deleita-se em provocar seu anfitrião; as mesmas leis de hospitalidade que restringem Hymir também o restringem de matar o gigante em sua própria casa, mas, quando o gigante falha em honrar o acordo de dar o caldeirão àquele que o consegue levantar, é um alvo fácil para Mjöllnir. Ele e os outros "baleias de lava" (seus parceiros gigantes) são rapidamente despachados por Þórr.

Árni Magnússon Institute for Icelandic Studies, Reykjavik.
Þjazi, sob a forma de águia, impede que o jantar dos deuses cozinhe.
De um manuscrito islandês do século XVIII.

ᛟ RECUPERANDO TESOUROS ROUBADOS ᛟ

Vimos, anteriormente, como o mestre de obras foi impedido no momento exato em que ia tomar posse do sol, da lua e de Freyja, quase afundando o mundo dos deuses e dos humanos em uma escuridão sem fim. Esse não é o único contragolpe na batalha pelos tesouros vitais que os deuses e os gigantes travaram. Em outra ocasião, Loki é feito cativo pelo gigante Þjazi, pai de Skaði. Três deuses – Loki, Óðinn e o misterioso Hœnir – partiram em uma jornada, na qual mataram e começaram a cozer um boi. Mas a carne não cozia, e, após um tempo, os perplexos e famintos deuses se aperceberam que acima, no carvalho sob o qual estavam cozendo, havia uma enorme águia pousada, que se declarou responsável por inibir o processo de cozimento. Loki pegou um grande bastão e golpeou a

Viktor Rydberg, *Our Fathers' Godsaga*, 1911 (Berlim).
Loki acompanha a incauta Iðunn em direção à floresta onde Þjazi espera para raptá-la. John Bauer (1911).

águia; ela voou, mas Loki e o bastão ficaram presos ao pássaro. Ele foi levado, seus ombros em sério risco de deslocamento, enquanto, desesperadamente, se agarrava. Para salvar sua vida, Loki concordou com a exigência da águia (que era o gigante Þjazi disfarçado): ele atrairia Iðunn para fora de Ásgarðr e para o poder do gigante. Ao dizer a Iðunn que havia encontrado, na floresta, algumas maçãs que se pareciam muito com as dela, e a persuadindo a trazê-las consigo para compará-las, Loki a enganou, fazendo com que deixasse Ásgarðr com ele. Þjazi desceu até Iðunn e saiu voando com ela, com suas maçãs e tudo.

Uma vez mais, tendo colocado os deuses em apuros, Loki é incumbido de resolver a situação, pois, com a perda de Iðunn, os deuses não tinham mais acesso às maçãs da eterna juventude e começaram a envelhecer. Uma reunião do conselho revela que Iðunn havia sido

British Museum, Londres.
Quatro rainhas das peças de xadrez de Lewis. As peças foram feitas no final do século XII, provavelmente na Escandinávia.

O exército adormecido

A romancista Francesca Simon, autora das histórias *Henrique, o terrível*, escreveu um romance, *The Sleeping Army* (O exército adormecido), publicado em 2012, sobre uma menina chamada Freya que sopra um chifre da era *viking* que se encontrava próximo às peças de xadrez de Lewis no Museu Britânico. Isso a precipita no mundo dos deuses. Freya tem de auxiliar dois ajudantes humanos de Thor (aqui chamados Alfie e Röskva) e um guerreiro berserker fedorento chamado Snot o Sábio a resgatar Iðunn e suas maçãs da juventude dos gigantes. Freya aprende muito sobre suas capacidades e cresce um bocado em sua corrida não apenas para evitar que os deuses envelheçam, mas também para impedir ela mesma e seus companheiros de se transformarem em peças de xadrez e se juntarem a outros buscadores fracassados na caixa do museu – o exército adormecido do título.

vista pela última vez na companhia de Loki; sua cumplicidade em seu desaparecimento é provada. Vestindo o manto de penas de falcão de Freyja, Loki voa para o salão de Þjazi, onde tira vantagem da ausência dos gigantes que estão fora pescando para transformar Iðunn em uma noz. Ele foge com ela e suas maçãs vitais. Quando Þjazi descobre sua perda, persegue Loki na forma de uma águia; os Æsir fazem uma grande pilha de lascas de madeira em volta do Ásgarðr e, enquanto o exausto Loki cai com sua carga exatamente dentro do muro, a águia é incapaz de parar e voa acima de sua presa. Os deuses colocam fogo nas lascas de madeira, e as penas da águia logo incendeiam. Quando abandona sua forma aviária, os deuses rapidamente o matam. A morte de Þjazi leva Skaði a Ásgarðr para buscar compensação, com as consequências que vimos no capítulo 1. Os deuses retomam sua dieta usual de frutas e são restaurados ao seu pleno vigor.

ᛟ ARRASTANDO ÞÓRR PARA CIMA ᛟ

Esse padrão mítico, no qual os gigantes se apropriam de algo crucial ao bem-estar dos deuses, é caricaturado em Þrymskviðai ("Poema de Þrymr"). Þórr acorda uma manhã e descobre que seu martelo Mjöllnir desapareceu; sua barba se eriça em alarme, e ele chama Loki. Dessa vez, Loki não está por trás do roubo e, voluntariamente, empresta o manto de penas de Freyja e vai para a Terra dos Gigantes, onde encontra o gigante Þrymr, que está sentado sobre um monte mortuário, trançando coleiras para seus elegantes cães de caça e aparando impecavelmente as crinas de seus cavalos; esse é, claramente, um gigante com pretensões aristocráticas. Þrymr, prontamente, admite que está com o martelo e declara que o devolverá somente se receber Freyja como sua noiva. Loki volta correndo com as notícias e, junto a Þórr, vai ver Freyja. Com uma típica falta de sutileza, eles anunciam francamente à deusa que ela deve se vestir de noiva e se aprontar para ir à Terra dos Gigantes para se casar. Freyja não recebe bem essas notícias:

> *Furiosa ficou Freyja e bufou de raiva,*
> *nisso, o salão inteiro dos Æsir tremeu;*
> *o grande colar dos Brisings caiu dela.*
> *"Vocês ouvirão falar de mim como a mais louca por homens das mulheres*
> *se for com vocês para a Terra dos Gigantes."*
> "Poema de Þrymr", v. 13.

Parte da anedota, claro, é que Freyja é a "mais louca por homens das mulheres", mas, mesmo assim, ela se recusa a aceitar casar-se com um gigante. O que fazer? Os deuses se reúnem em conselho, e Heimdallr tem a maravilhosa ideia de vestir Þórr de mulher e enviá-lo no lugar de Freyja. As enérgicas objeções de Þórr são desconsideradas, pois, como Loki indica, a menos que o martelo seja restaurado, os gigantes, em breve, estariam se dirigindo a Ásgarðr. E, assim, Þórr é vestido de mulher, com grinalda e um molho de chaves (símbolo da autoridade feminina na casa) pendurado em seu cinto. Freyja lhe empresta seu colar, o *Brisinga men*, como um toque final autêntico. Loki também se veste de mulher, e o par parte na biga de Þórr puxada por cabras.

Abbie Farwell Brown, *In the Days of the Giants: A Book of Norse Tales*, 1902 (Houghton, Mifflin and Co.).
Þórr sendo vestido de mulher, a fim de se passar por Freyja para o "casamento" com Þrymr. Elmer Boyd Smith (1902).

Como Þórr ganhou seus servos

As cabras de Þórr, Tanngnjóstr e Tanngrisnir (Rangedora de Dentes e Moedora de Dentes), são animais muito úteis. Não só porque elas puxam a biga do deus, mas também porque, quando Þórr está viajando, pode matá-las e comê-las, e, depois, se seus ossos são colocados em suas peles, elas revivem na manhã seguinte, prontas para seguir a jornada. Certa vez, Þórr estava hospedado na casa de um homem pobre chamado Egill, que não tinha carne para o jantar. Þórr matou as cabras e partilhou a carne com a família, alertando para que ninguém quebrasse os ossos para acessar o suculento tutano deles. Quando as cabras foram reconstituídas na manhã seguinte, uma estava visivelmente mancando, e Þórr perguntou furiosamente quem havia lhe desobedecido. O filho da família, Þjálfi, confessou, e o pai, aterrorizado, ofereceu os dois filhos ao deus como recompensa. Assim, Þórr ganhou dois servos humanos: Þjálfi, que aparece em várias aventuras, e a irmã Röskva, que é pouco mencionada.

Enquanto isso, na Terra dos Gigantes, Þrymr está tremendo de excitação, ordenando que sejam feitas preparações para o banquete de casamento e se gabando de suas posses:

Vacas com chifres de outro caminham aqui no pátio,
bois da cor do azeviche para o deleite dos gigantes;
pilhas de tesouros eu tenho, pilhas de luxos eu tenho;
somente Freyja parecia estar faltando.
"Poema de Þrymr", v. 23.

Uma Freyja muito velada se senta para o banquete e surpreende seu noivo ao consumir "um boi inteiro, oito salmões / todas as guloseimas destinadas às mulheres / ... [e] três barris de hidromel". Loki, como dama de honra, rapidamente explica que sua patroa não comera por oito noites, de tão loucamente ansiosa que estava para chegar à Terra dos Gigantes. Þrymr pensa em roubar um beijo de sua noiva, mas, quando espia sob o véu, fica alarmado com os ardentes olhos vermelhos da senhora. Pensando rápido, Loki explica que isso é provocado pela insônia em antecipação ao casamento. A irmã do gigante pede os presentes para a noiva, e, então, o martelo é finalmente apresentado, a fim de santificar o casamento – talvez, uma referência aos rituais de casamento de fato. Tão logo Þórr tem seu martelo na mão, esmaga a aduladora cunhada e assassina o restante dos convidados antes de partir com Loki de volta para casa. Ásgarðr está segura novamente, e o martelo voltou ao seu legítimo dono.

Essa história pode ser muito antiga, dada à falta de seriedade com a qual os deuses são tratados. Tanto Þórr quanto Freyja são indignos em suas respostas emocionais. Þórr anda às cegas em busca do martelo antes de chamar Loki; o urro e o busto ofegante de Freyja fizeram com que seu adorno favorito quebrasse e caísse – e não nos esqueçamos do alto preço que pagou aos anões por ele (cf. cap. 2). As pretensões sociais de Þrymr são claramente trespassadas por sua autossatisfação – tudo o que ele necessitava era a deusa da beleza e do sexo como sua esposa para completar sua coleção de objetos preciosos. A comédia de o mais masculino dos deuses ser forçado a se vestir de mulher, e a alacridade de Loki em se oferecer para participar também vestido de mulher, apontam, por um lado, para a ambiguidade de gênero que cerca Loki e sua mudança de forma, e, por outro, os fortes tabus culturais contra o travestismo e outras atividades transgêneras, particularmente se assumidas em conexão com a prática de *seiðr*. Óðinn é menos sensível a esse respeito; como veremos no capítulo 6, ele não está acima de se vestir como uma mulher, se as circunstâncias exigirem.

ᛟ A VISITA DE ÞÓRR A ÚTGARÐA-LOKI ᛟ

A história mais elaborada das transações de Þórr com os gigantes é contada em detalhes por Snorri. Þórr e Loki partem um dia para se aventurar na biga puxada por cabras. É quando Þórr adquire seus dois servos humanos (cf. p. 111), e, na noite seguinte, o grupo se encontra em uma floresta. Diante deles, há um tipo de salão, onde buscam abrigo, mas, no meio da noite, ocorre um terremoto, e o grupo, alarmado, se amontoa numa sala menor, próximo ao salão principal. No dia seguinte, quando saem do salão, encontram, ao lado, um homem enorme deitado e roncando – a fonte do terremoto da noite anterior. Þórr está prestes a golpear essa figura com seu martelo quando ela desperta. O homem reconhece o deus, a quem saúda pelo nome, e pergunta: "Por que você tirou minha luva?" Os viajantes, surpresos, se apercebem que o salão no qual passaram a noite era a luva do gigante, enquanto a sala lateral era o polegar. O gigante, que se chama Skrýmir, oferece sua companhia, e eles viajam juntos. Todas as suas provisões são colocadas em um saco que Skrýmir carrega; nessa noite, Þórr se mostra incapaz de abri-lo para obter o jantar enquanto o gigante tira um cochilo. O deus fica tão incomodado que desfere em Skrýmir o golpe mais poderoso que consegue com o Mjöllnir. Mas o gigante abre os olhos, murmura que uma folha do carvalho sob o qual está cochilando deve ter caído sobre ele e pergunta se todos já jantaram. O deus, humilhado, dissimula sobre sua fome e, no meio da noite, desfere um segundo golpe em Skrýmir enquanto este dorme; uma mera bolota de carvalho, o gigante afirma quando se acorda pelo golpe. Um terceiro ataque não é mais bem-sucedido.

No dia seguinte, Skrýmir se separa do grupo divino quando vão para uma morada de gigante chamada Útgarðr; seu senhor é (também) chamado Loki, tirando o apelido de sua casa. Skrýmir pede que seus novos amigos não sejam prepotentes na casa de Útgarða-Loki, já que são meros bebês de colo em comparação com os homens poderosos na fortaleza. E os habitantes do salão são, na verdade, impressionantemente grandes. Útgarða-Loki acolhe seus hóspedes e os convida a participar de várias competições para entretenimento geral. O primeiro é Loki, que se voluntaria na competição de comer. Embora limpe sua gamela de comida em tempo recorde, seu oponente, Logi, come não apenas a comida e os ossos, mas também a própria gamela. Um a zero para os gigantes! Þjálfi participa de uma corrida contra um certo Hugi; embora o menino vá bem, em relação ao melhor dos três, ele, claramente, é o perdedor. A participação de Þórr em uma competição de beber é também lastimável. Ele é desafiado a esvaziar um chifre de líquido que, ao que tudo indica, pode

Wilhelm Wägner, *Nordisch-germanische Götter und Helden*, 1882 (Leipzig). Um pequeno Þórr golpeia o gigante adormecido Skrýmir; sua enorme luva está no primeiro plano. Friedrich Heine (1882).

normalmente ser esvaziado pelo mais débil bebedor em três goles. Mas, mesmo após três goles de tirar o fôlego, o nível no chifre havia baixado apenas um pouco. Agora, Útgarða-Loki expressa seu escárnio convidando o deus a tentar dois outros feitos: pegar seu gato e lutar com sua velha cuidadora. Lamentavelmente, Þórr não é mais impressionante; ele só consegue levantar uma pata do gato do chão, enquanto a cuidadora, Elli, consegue deixar Þórr em um joelho. Completamente embaraçados pelo desempenho de seu time, Þórr e seus amigos, mesmo assim, desfrutam da hospitalidade e, após um excelente café da manhã, se aprontam para voltar para casa.

Útgarða-Loki os acompanha até certa distância de sua fortaleza e depois revela a verdade sobre o que se passou: ele nunca mais deixará o poderoso deus voltar à sua morada, de tão perigoso que é. Pois Útgarða-Loki e Skrýmir são um só; o saco de comida estava amarrado com fio mágico; o gigante adormecido tinha, magicamente, colocado uma montanha entre sua cabeça e os golpes de martelo de Þórr; e a evidência, uma montanha de cume plano, agora com três vales

Harriet Taylor Treadwell e Margaret Free, *Reading-Literature Fourth Reader*, 1913 (Chicago).
Þórr luta com o gato de Útgarða-Loki. Frederick Richardson (1913).

quadrados nela, é visível a alguma distante. Quanto à competição em Útgarðr, Loki havia competido contra Fogo, que, é claro, não teve dificuldade em consumir a gamela de comida; Þjálfi havia corrido contra Pensamento, e o chifre de beber estava conectado ao oceano. Não admira, então, que Þórr não tivesse sido capaz de esvaziá-lo, embora seus esforços em baixar o nível no chifre expliquem a existência das marés. O gato preto – bem, esse não era senão a própria poderosa serpente Miðgarðs; enquanto Elli, a cuidadora, era a Velhice, que põe todo homem de joelhos cedo ou tarde. Tendo transmitido essas informações, Útgarða-Loki e seu salão desaparecem, justo quando Þórr está levantando Mjöllnir para aniquilá-lo.

Essa história, com sua representação alegórica de Fogo, Pensamento e Velhice, sugere que Snorri tenha expandido uma história mais antiga na qual Þórr encontra um gigante ardiloso com uma luva enorme. Em "A querela de Loki" (cf. a seguir), Loki repreende o deus por ter se encolhido na luva e falhado em abrir o saco de comida; esses elementos ao menos devem ser tradicionais. Um detalhe curioso é o nome assumido de Skrýmir de Útgarða-Loki. Seria ele, em algum nível, o duplo de Loki? O astuto deus se divide entre parecer inteligente em relação às rixas de Þórr e exibir um claro aspecto de gigante, determinado a defender a Terra de Gigantes contra a disposição de Þórr de atacar com seu martelo? Uma coisa é incentivar Þórr a matar todos os convidados gigantes do casamento após Þrymr roubar seu martelo, ou esmagar Hymir e seus soldados quando este falha em honrar a promessa de deixar Þórr levar o caldeirão, ou ouvir falar sobre o assassinato de gigantes no leste distante. Mas outra coisa muito diferente é vê-lo pronto para matar um homem dormindo que buscava apenas embaraçá-lo, não feri-lo. A dignidade de Þórr é, de algum modo, recuperada pela revelação de que foi confrontado por forças metafísicas. Todavia, quando se encontra derrotado pelo oceano, pelo monstro cósmico que simboliza os limites do espaço geográfico e pela Velhice, o aspecto mais importante do Tempo para nós, humanos, ele reage com impertinência. Essa caracterização equívoca de Þórr sugere que Snorri o redescreveu sob uma luz menos favorável, tirando sua indicação de histórias mais antigas.

ᛟ ÞÓRR *VERSUS* ÓÐINN ᛟ

Uma última percepção do papel de Þórr no sistema mitológico é oferecida no poema vívido *Hárbarðsljóð* ("O Canto de Hárbarðr", ou do Barba Grisalha). Þórr está a caminho de casa quando chega a um fiorde. Ele chama o balseiro para pedir passagem, sem se aperceber de que o velho com o barco é seu próprio pai, Óðinn, disfarçado. Para surpresa de Þórr, o balseiro recebe sua jactância orgulhosa: "com Þórr você conversa aqui!", com insultos e contrajactâncias. Os dois deuses participam de um *flyting*, uma troca formal de alegações de grandeza, refutações e contra-alegações. Mas, quando Þórr se gaba de matar gigantes, incluindo Hrungnir e o pai de Skaði, Þjazi, e de golpear mulheres loucas e gigantas, as contra-alegações do balseiro não são de equiparar feitos heroicos. Em vez disso, se estiver contando a verdade, Óðinn tem estado ocupado seduzindo mulheres bonitas. "Como foi com elas?", Þórr pergunta, soando um pouco invejoso. Óðinn responde:

> *Teríamos mulheres alegres, se ao menos fossem amigáveis conosco,*
> *teríamos mulheres mais inteligentes, se ao menos fossem fiéis a nós,*
> *elas fariam o impossível*
> *e, de um vale profundo,*
> *cavariam o chão;*
> *somente eu fui superior a elas com minha astúcia,*
> *dormi com as sete irmãs*
> *e tive seus corações e seus prazeres.*
> *O que estavas fazendo enquanto isso, Þórr?*
> "O canto de Hárbarðr", v. 18.

Essas mulheres misteriosas, descritas em termos enigmáticos, parecem ser o mesmo tipo de fenômeno natural, moldando o terreno de diferentes modos. Þórr responde com a afirmação de que jogou os olhos de Þjazi para o céu, onde se tornaram uma constelação, mas seu pai não se impressiona. Para cada um dos feitos de Þórr, Óðinn responde com uma jactância de ter liderado um exército (embora, aparentemente, não lute em pessoa), de seduzir mulheres ou de incitar conflitos – um papel tradicional para o deus que o ajuda a selecionar o pessoal certo para se juntar ao *Einherjar*. A fanfarronada de Þórr de nada o ajuda diante da indiferença de Óðinn às alegações de glória e honra. O deus sênior faz uma afirmação interessante: "Óðinn possui os nobres que caem em batalha / e Þórr possui a raça dos escravos!" (v. 24). Þórr era o deus mais popular na Islândia e na Noruega, talvez porque governasse o clima, crucial para aqueles que vivem da terra ou do mar e para aqueles que trabalham com suas mãos. Óðinn, enquanto isso, é mais claramente associado a aristocratas e poetas, consistente com seu papel em obter o hidromel da poesia para eles, e também é um patrono dos reis. O poema termina com Óðinn se recusando absolutamente a trazer a balsa para Þórr e afirmando que descobrirá que

O duelo entre Þórr e Hrungnir

Hrungnir era um gigante a quem os deuses, desavisadamente, convidaram para Ásgarðr para uma bebida, após ele e Óðinn terem competido em uma corrida de cavalos. O gigante ficou bêbado e começou a se gabar de que desmantelaria o Valhöll para levá-lo para casa na Terra dos Gigantes, destruiria Ásgarðr e mataria todos os deuses, exceto Freyja e Sif, as quais levaria com ele também. Quando Þórr voltou e encontrou um gigante bêbado no Valhöll, ficou enfurecido, mas, como Hrungnir estava desarmado, eles organizaram um duelo em outro lugar, nas fronteiras do próprio território de Hrungnir. Este tinha um coração feito de pedra, e um escudo da mesma substância; o aliado de Hrungnir era uma figura gigante feita de barro chamada Mökkurkálfi, um ente corajoso o bastante caso não tivesse recebido um coração de égua – o único órgão grande o bastante para movimentar sua poderosa estrutura. Þjálfi correu até Hrungnir enquanto se preparava para a batalha e avisou que Þórr estava vindo atrás dele – secretamente! Hrungnir, prontamente, ergueu seu escudo de pedra, somente para espionar Þórr em sua biga, cercado por trovão e relâmpago. A arma escolhida por Hrungnir foi uma pedra de amolar, que ele jogou em Þórr; a pedra se despedaçou em voo contra Mjöllnir, e um fragmento ficou cravado no crânio de Þórr. Enquanto isso, Hrungnir, indefeso, atacou o martelo de Þórr, caindo de modo que sua perna ficou sobre o pescoço do deus, prendendo-o. Þjálfim derrubou Mökkurkálfi com pouca dificuldade. Mas se mostrou impossível mover o corpo do gigante sobre o prostrado Þórr, até que chega Magni, o filho de três anos de Þórr com a giganta Jarnsaxa. Magni, facilmente, puxou o membro preso de seu pai, e lamentou que tivesse perdido a luta, "pois teria mandado o gigante para Hel com meus pulsos se o tivesse encontrado". Tirar o fragmento da pedra de amolar da cabeça de Þórr não foi fácil. Este pediu ajuda a uma profetisa para extrair a pedra cantando, mas, enquanto ela estava cantando, ele acabou mencionando que havia dado ao seu esposo, Aurvandill, uma carona aos rios venenosos do norte. Seu dedão congelou no frio e Þórr jogou-o ao céu para que se tornasse a estrela da manhã. Essa notícia foi tão excitante que Gróa, a vidente, esqueceu-se completamente de seus encantos, e o fragmento de pedra permanece no crânio de Þórr até hoje.

sua esposa Sif é infiel a ele. Þórr tem de percorrer o longo caminho ao redor, a despeito das suas ameaças e do alarido.

Muitos dos principais mitos, portanto, mostram gigantes e deuses lutando pela posse de tesouros que simbolizam domínio sobre algum aspecto da cultura. Geralmente, os deuses saem por cima, mas os gigantes também têm suas vitórias, e há um sentimento inquietante de que, um dia – o dia do *ragnarök* –, eles terão a vantagem. Loki é seu homem infiltrado, ocupando um espaço liminar estratégico entre deuses e gigantes. Sua história (o que sabemos dela) e seu papel, até o começo dos eventos que anunciam o *ragnarök*, estão a seguir.

ᛟ NEM UMA COISA NEM OUTRA ᛟ

Loki é uma figura perturbadora e tantalizante no panteão divino. Não há evidências de que tenha sido cultuado (os astutos escolhem Óðinn como seu patrono), e ele não dá seu nome a fazendas, montanhas ou outros elementos característicos da paisagem. Loki é considerado o filho de Laufey e Fárbauti, uma deusa e, talvez, um gigante. Se seu pai foi um gigante, isso explicaria muito sua natureza agressiva (normalmente, essas relações são proibidas) e suas lealdades divididas. Loki é contado entre os deuses; tem uma irmandade de sangue com Óðinn e, embora não leve muitos pactos a sério, Óðinn nunca desconsidera esse vínculo. Loki está entre os Æsir no início de sua história, ajudando-os a escapar da negociação com o mestre de obras, e partindo em jornadas com Óðinn e Hœnir para ver o que está ocorrendo no mundo. Seu comportamento impulsivo nessa expedição, como vimos anteriormente, levou à sua traição de Iðunn para entregá-la a Þjazi; no capítulo 4, veremos como o fato de ele, casualmente, ter jogado uma pedra numa lontra sonolenta dá início a uma longa cadeia de desastres.

A ambiguidade de Loki se estende à mudança de forma e ao transgenerismo. Copular com Svaðilfari, o cavalo do mestre de obras, levou-o a dar à luz o Sleipnir, o melhor dos cavalos. De acordo com uma sequência misteriosa em *Hyndluljóð* ("O canto de Hyndla"):

Loki comeu um coração, assado em uma fogueira de madeira de tília,
a pedra de pensamento de uma mulher que encontrou meio queimada;
Loptr foi engravidada por uma mulher má,
da qual cada ogro na Terra descendeu.
"O canto de Hyndla", v. 41.

Loptr é outro nome para Loki; aqui, ele se torna parte da genealogia de todas as gigantas ao incorporar, de forma perversa, um coração feminino. "O canto de Hyndla" é um dos poucos poemas sobreviventes a caracterizar Freyja; ela monta, aparentemente, no javali dourado de seu irmão, a fim de visitar a giganta Hyndla (Cão Pequeno) para lhe fazer uma série de perguntas sobre origens e linhagens. O javali de montaria é, de fato, o protegido de Freyja (e, provavelmente, seu amante) Óttarr, que necessita ser capaz de recitar sua própria linhagem a fim de reivindicar sua herança. Embora Hyndla seja relutante em ajudar Freyja (e troque alguns insultos incisivos com ela), acolhe a tarefa e fornece mais informações do que Óttarr estritamente necessita – incluindo a gravidez de Loki como a origem dos ogros. O poema termina com a maldição irascível de Hyndla e a asserção triunfante de Freyja de que Óttarr, agora, tem informações suficientes para lutar contra seu rival, um certo Angantýr, pela herança.

ᛟ OS FILHOS DE LOKI ᛟ

Loki tem dois filhos com sua esposa, Sigyn, variavelmente nomeado Váli (embora pareça improvável que esse filho compartilhe o nome com o caçula de Óðinn, vingador de Baldr) ou Nari e Narfi. Seus destinos são discutidos no capítulo 6. Fora do casamento, contudo, ele é pai de três filhos com a giganta Angrboða: Fenrir, o lobo; a serpente Miðgarðs; e Hel, a deusa da morte. A prole monstruosa deixa os deuses alarmados. A serpente Miðgarðs é lançada no oceano, onde repousa com sua cauda na boca. Hel, com uma face que é metade de um azul cadavérico, metade de uma coloração rosa humana

Padraic Colum, *The Children of Odin*, 1920 (Macmillan).
A serpente Miðgarðs, Fenrir e Hel: os filhos de Loki. Willy Pogany (1920).

saudável, recebe o reino de Niflheimr (Mundo de Névoas) para governar: o lugar para onde vão os mortos não heroicos (mulheres, crianças e aqueles que não morreram em batalha).

Fenrir, o lobo, é criado em Ásgarðr, mas ele logo está comendo quase toda a comida dos deuses e é decretado que tem de ser acorrentado. Os deuses não conseguem encontrar um grilhão forte o bastante para prendê-lo, e, após várias tentativas fracassadas, que divertiram Fenrir enormemente, fizeram um pacto com os anões para que fizessem uma corrente mágica. Forjada com seis coisas – algumas impossíveis, como o som dos passos de um gato, a barba de uma mulher, as raízes de uma montanha, a respiração de um peixe; e algumas mais ordinárias, como os tendões de um urso e a saliva de um pássaro –, as correntes eram macias, sedosas e aveludadas. Fenrir percebeu algo suspeito sobre essa fita aparentemente inofensiva e exigiu uma promessa de que os deuses o libertariam do grilhão se ele não pudesse quebrá-lo. Como os deuses hesitaram, Týr, bravamente, correu para colocar sua mão direita na boca da besta. Os grilhões foram colocados em torno das patas do lobo e ficaram duros como ferro quando a besta lutou contra eles. Então, diz Snorri, "todo mundo riu – exceto Týr. Ele perdera a mão". Fenrir foi aprisionado em uma caverna, e uma espada foi presa entre

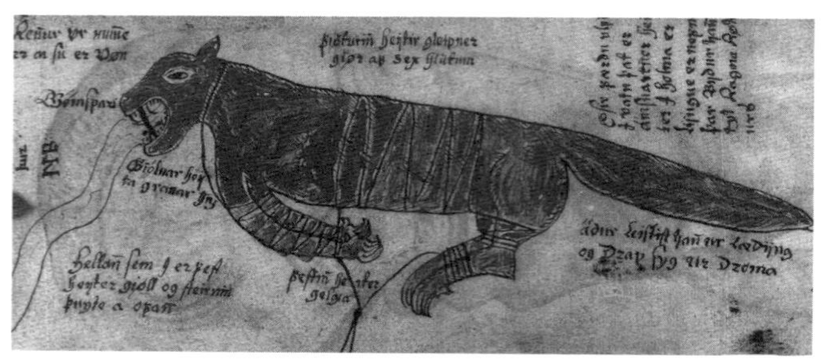

Árni Magnússon Institute for Icelandic Studies, Reykjavik.
Fenrir amarrado. De um manuscrito islandês do século XVIII.

A prole monstruosa de Loki

Os filhos de Loki representam as limitações metafísicas do mundo criado. Fenrir figura as forças do Tempo; seus parentes andam pelo céu nas trilhas do sol e da lua, com suas línguas de fora e suas mandíbulas escancaradas. Nesse grande dia, eles engolirão inteiramente os corpos celestes. A serpente Miðgarðs marca o extremo externo dos mares conhecidos; também chamada Cintureira de Todas as Terras, mantém o mundo coeso dentro de seu círculo fechado. E Hel, a personificação da Morte, é, como veremos adiante, uma anfitriã hospitaleira, recepcionando os mortos em seu salão, do qual nunca podem partir. Ela é o arquétipo de todas aquelas figuras do destino femininas desejosas e atraentes que vimos no capítulo 2, esperando para recepcionar homens em seu abraço eterno.

seus maxilares como um adorno, de modo que a boca permaneça sempre escancarada. Baba corre de suas mandíbulas, formando um dos rios mais poderosos do Mundo Exterior, e lá ele espera pelo fim do Tempo, a chegada do *ragnarök*.

Há mais sobre Loki e seu papel particular nos eventos prenunciando o fim do mundo no capítulo 6. No próximo capítulo, trataremos de alguns heróis humanos das lendas nórdicas: as figuras celebradas nos poemas heroicos nórdicos na segunda metade da Coleção Codex Regius. Esses são Völsungr, seu filho Sigmundr e seus descendentes, habitantes dignos do Valhöll.

4

ADEQUADOS PARA O VALHÖLL: HERÓIS HUMANOS

De todos os deuses, Óðinn e Þórr são os que parecem ser mais frequentemente invocados pelos humanos, ao menos em nossos textos sobreviventes. Como a literatura heroica é amplamente composta pela elite social, não surpreende que Óðinn figure de forma predominante nela como o ancestral dos reis e o patrono dos heróis. O poema *Grímnismál* ("Ditos de Grímnir") mostra Óðinn dando uma exibição virtuosa de sabedoria; ele é torturado por ser colocado entre dois fogos sem comida e bebida por oito noites. O filho do rei, Agnarr, oferece-lhe um chifre de bebida, uma ação que desencadeia a revelação de Óðinn de sua identidade e poder. Como Óðinn passa a estar no primeiro lugar nessa situação? A (provavelmente muito tardia) prosa que prefacia o poema conta como Óðinn e Frigg criaram dois filhos do Rei Hrauðungr. Os meninos foram pescar e perderam de vista a terra. Eles chegaram próximo de uma pequena

Karl Gjellerup, *Den ældre Eddas Gudesange*, 1895 (Copenhague).
Frigg e Óðinn sentados no trono elevado Hliðskjálf. Frigg ganha pontos em relação a Óðinn ao afirmar que seu protegido, o Rei Geirrøðr, é mesquinho com seus visitantes.
Lorenz Frølich (1895).

fazenda, na qual uma velha cuidou de Agnarr, o mais velho, e, um velho, do mais jovem, Geirrøðr. Agora, essas duas figuras eram os deuses disfarçados, e, na primavera, o velho encontra um barco e os envia para casa, sussurrando algo no ouvido de Geirrøðr antes de se despedir. Quando chegam na casa de seu pai, Geirrøðr foi o primeiro a pular na terra, dando ao barco com seu irmão um rápido empurrão de volta para o mar com as palavras: "Vá para onde troll o receberá!". E o barco foi. Agnarr desapareceu.

Mais tarde, quando Óðinn e Frigg estão sentando no trono elevado Hliðskjálf, contemplando os mundos, Óðinn não pode resistir em marcar uns pontos. "Veja!", ele diz, "lá está seu filho adotivo criando filhos com uma ogra em uma caverna, E lá está meu filho adotivo governando seu reino". Frigg responde que Geirrøðr é um rei terrível; ele é tão mesquinho com comida que tortura seus visitantes se acha que são demais. Isso Óðinn obviamente tem de investigar. Frigg envia Fulla, sua serva, para Geirrøðr, para avisar que um mágico está indo visitá-lo. Geirrøðr, prontamente, captura o visitante e faz com que este seja torturado. No final do poderoso monólogo de Óðinn, ele finalmente revela sua identidade:

O Terrível, agora, tomará
o homem assassinado cansado de armas;
eu sei que sua vida terminou;
os dísir estão contra você, agora você pode ver Óðinn,
aproxime-se de mim se puder!
"Ditos de Grímnir", v. 53.

Na pressa para resgatar o visitante, Geirrøðr tropeça, cai sobre sua espada e morre. Agnarr, o filho nomeado em homenagem ao irmão traído de Geirrøðr, assume o trono.

Como deus do parentesco, Óðinn precisa se certificar de que os governantes cumpram a obrigação importante da hospitalidade. Todavia, seu papel nessa pequena história também reconhece que trapaça e pensamento rápido podem ser cruciais para tomar o trono. Embora o autor da passagem da prosa insista que a acusação contra Geirrøðr era absolutamente injustificada, e que o mau tratamento do deus fosse o resultado da calúnia de Frigg, a tortura do visitante de Geirrøðr – mágico ou não – coloca o julgamento do rei em questão. Parece certo que a trapaça de Geirrøðr sobre o irmão foi motivada por Óðinn, mas esse destino – ou a intervenção dos deuses, jogando seu próprio jogo provado –, finalmente, leva um segundo Agnarr ao trono. Esse Agnarr goza da aprovação de Óðinn, pois ter dado o chifre de beber ao deus é, com efeito, um sacrifício, um reconhecimento tácito do *status* de Óðinn, e Agnarr reina por um longo tempo após seu pai.

ᛟ A LINHA VÖLSUNG E A ESPADA FATAL ᛟ

A dinastia dos Völsungs, cuja história é tratada neste capítulo, deve sua própria existência a Óðinn. De acordo com a saga sobre eles (provavelmente composta em torno de 1250), o membro mais antigo da linhagem era um homem chamado Sigi, dito ser filho de Óðinn. Após matar um escravo, Sigi foi banido; Óðinn conseguiu ajudá-lo a adquirir alguns navios de guerra, e Sigi começou a saquear. Ele ficou rico, criou um reino e se casou. Seus cunhados acabaram tramando contra Sigi e o assassinando enquanto seu filho Rerir estava longe.

A maçã mágica

Dinastias dependem do sucesso reprodutivo, e a esposa de Rerir, filho de Sigi, não lhe deu filhos. Frigg pediu a Óðinn para ajudá-lo, e este enviou uma valquíria com uma maçã mágica, imediatamente devorada por Rerir e (presumivelmente) a rainha. Ela engravidou, mas esse estado durou seis anos! A rainha morreu, dando à luz um filho de bom tamanho num parto por cesariana. Esse foi Völsungr, que cresceu para se casar com a própria valquíria que havia supervisionado sua concepção. E Hljóð, a valquíria, deu-lhe não menos que dez filhos e uma filha. Os mais jovens eram gêmeos: um menino chamado Sigmundr e uma menina, Signý.

Martin Oldenbourg, *Walhall, die Götterwelt der Germanen*, 1905 (Berlim).
Óðinn crava a espada na árvore Barnstokkr no salão de Völsungr. Emil Doepler (1905).

A espada na árvore

Reconhecemos que o misterioso estrangeiro que crava a espada na árvore no salão de Völsungr é Óðinn. Ele está concedendo uma dádiva na próxima geração de seus descendentes, para colocar uma perspectiva positiva nessa ação. Se não, veio para semear problemas, para descobrir qual dos dez filhos de Völsungr está apto a levar a linhagem adiante. A centralidade da árvore nos lembra da Árvore do Mundo Yggdrasill, crescendo no centro dos mundos enquanto Barnstokkr cresce no salão de Völsungr. Seu nome, que significa "Linhagem de Criança", enfatiza o interesse dessa parte da saga em genealogia, na progressão da dinastia, do arrogante e irascível Sigi a Völsungr e seus filhos, dos heróis que nasceram de deuses e valquírias por magia até defensores humanos, embora ainda concebidos por meios um tanto aberrantes.

Rerir retornou e matou todos aqueles envolvidos na morte de seu pai. Assim, assassinato de parentes e traição se tornaram inscritos na linhagem de Völsung desde o início.

Quando sua filha Signý cresceu, Völsungr arranjou um casamento para ela com o Rei Siggeirr da Gautlândia, no sul da Suécia. Durante o banquete de casamento, um ancião caolho com um chapéu puxado para baixo sobre seus olhos entra no salão de Völsungr com uma espada na mão. Ele a crava na grande árvore, Barnstokkr, que cresce no meio do salão, afundando a espada até o punho. O homem anuncia que aquele que puder puxar a espada do tronco poderá tê-la: uma espada melhor jamais chegará à sua mão.

Como a Espada na Pedra do mito arturiano, essa espada só pode ser puxada pelo escolhido de Óðinn, que se mostra ser o irmão de Sigý, Sigmundr. Seu novo cunhado, Siggeirr, oferece o triplo do peso da espada em ouro por ela, mas Sigmundr recusa: se a espada fosse para Siggeirr, teria cedido com seu esforço para puxá-la. Siggeirr deixa isso passar por ora, mas prevemos problemas pela frente. Não muito depois, chega um convite de retribuição para Völsungr e seus filhos visitarem Siggeirr e Signý na Gautlândia, mas é uma armadilha. Siggeirr ataca os parentes da esposa; Völsungr é morto, e os irmãos, capturados.

Buscando desesperadamente um modo de impedir que o esposo execute seus irmãos, Signý implora para que sejam colocados no tronco (*stocks*) e deixados na floresta, enquanto ela tenta conceber um plano de resgate. Mas, a cada noite que passa, uma enorme loba (que alguns diziam ser a mãe bruxa de Siggeirr) chega e devora um dos irmãos, até restar apenas Sigmundr. A essa altura, Signý decidira o que fazer. Ela envia um criado para dar mel a seu irmão gêmeo; ele espalha mel em toda a face e espera pela loba. Em vez de atacá-lo, ela começa a lamber o mel de sua face. Sigmundr aproveita a chance: ele abre a boca da loba e morde sua língua, segurando-a tão firmemente até arrancá-la. Contorcendo-se em agonia, a loba destroça o tronco; enquanto ela morre, Sigmundr escapa para as profundezas da floresta.

Padraic Colum, *The Children of Odin*, 1920 (Macmillan).
Sigmundr, amarrado, morde a língua da loba. Willy Pogany (1920).

ᛟ VINGANÇA, INCESTO E LOBISOMENS ᛟ

Como um homem contra todos os guerreiros de Siggeirr, Sigmundr não tinha chance alguma de se vingar. Signý tinha dois filhos com seu odioso esposo, mas o teste da coragem deles mostrou que eram muito débeis para se aliarem ao tio, e eles foram mortos. Signý se desespera para conseguir um vingador adequado. Trocando sua aparência com uma feiticeira itinerante, ela visitou Sigmundr no esconderijo subterrâneo e dormiu com ele, enquanto a feiticeira permaneceu com Siggeirr. Assim, Signý dá à luz um filho que é duplamente Völsung: Sinfjötli. Ele passou nos testes da mãe e do tio com facilidade e foi viver com Sigmundr. Sinfjötli era tão duro que ele e o pai inclusive passaram um tempo como lobisomens, após encontrarem peles de mudança de forma nos bosques. Mas a dupla lutou na forma de lobo, e Sigmundr cortou a garganta de seu filho com os dentes. Não fosse por uma folha mágica, trazida para o triste Sigmundr-lobo por um corvo (sem dúvida, odínico), que reviveu o morto Sinfjötli, o plano de vingança teria dado em nada.

Agora, pai e filho se sentiam prontos para a vingança e foram ao salão de Siggeirr. Eles se esconderam detrás de uns barris de

A testagem de Sinfjötli

Antes de enviar Sinfjötli a Sigmundr, Signý costurou sua camisa nele, passando a agulha através da carne e do linho. Depois, arrancou a roupa de seu corpo e lhe perguntou se doeu. "O avô Völsungr não acharia isso doloroso", respondeu o menino, com orgulho. Encorajada, Signý o despachou para Sigmundr em seu esconderijo na floresta. Sigmundr lhe entregou um saco de farinha e lhe pediu para fazer pão enquanto estivesse fora. Ao retornar, Sinfjötli ofereceu o pão a Sigmundr. Este se recusou a comê-lo, pois havia uma cobra venenosa no saco. Sinfjötli disse ter percebido algo se movendo, mas apenas a amassou até a morte enquanto preparava a massa. Embora os filhos de Signý com Siggeirr tivessem se assustado com o serpenteante objeto no saco e não tivessem conseguido fazer pão, Sinfjötli foi claramente feroz o bastante para assumir a vingança por seus tios e avô assassinados.

cerveja em uma sala externa, mas um dos dois filhos de Signý os identificou à espreita. Signý insistiu que deveriam ser mortos para evitar que revelassem o segredo; embora o bondoso Sigmundr não tenha conseguido matar os filhos da irmã, Sinfjötli não teve tanta compunção. Matou os dois pequenos e os jogou, provocativamente, na frente de Siggeirr. Capturados e sepultados em um enorme monte, os dois homens escaparam novamente com a ajuda de Signý e, prontamente, puseram fogo no salão de Siggeirr. Signý revelou a verdade sobre o parentesco de Sinfjötli, beijou o irmão e o filho, e caminhou de volta ao fogo. O trabalho de sua vida, a vingança pelo pai e pelos irmãos, estava completo, e não poderia sobreviver ao estigma do incesto.

Finalmente, Sigmundr retornou às suas terras ancestrais com o filho estranhamente gerado, onde se casou e teve outros dois filhos. Sua história é relatada a seguir. Sinfjötli é um companheiro e irmão leal aos descendentes do pai, mas termina sendo morto em decorrência da traição de sua madrasta.

A morte de Sinfjötli

Borghildr, a nova esposa de Sigmundr, tem um irmão, e ele e Sinfjötli competem pela mesma mulher. Há um duelo, no qual o irmão de Borghildr é morto. Ela prepara um chifre de bebida contendo veneno e oferece a seu enteado. Sinfjötli desconfia, pois a bebida parece estranha, e, por duas vezes, expressa suas suspeitas ao pai. Sigmundr é tão duro que nenhum veneno pode prejudicá-lo. Impacientemente, ele pega o chifre e toma da bebida, sem nada sofrer. Quando um terceiro chifre é oferecido, Sinfjötli repete suas dúvidas: "Essa bebida está turva, pai!" Sigmundr responde: "Filtra com seu bigode, filho!" Então, Sinfjötli bebe – e morre. Transtornado, Sigmundr carrega o corpo para longe, até chegarem a um fiorde. Um barqueiro aparece e se oferece para atravessá-los, mas só há espaço para o cadáver no barco. O barqueiro anuncia que Sigmundr deve caminhar em torno do fiorde, começa a andar e desaparece para sempre. Dessa vez, o barqueiro não necessita ser descrito como idoso e caolho para que o reconheçamos como Óðinn, que vem para levar Sinfjötli para casa, no Valhöll.

Felix Dahn, *Walhall: Germanische Götter- und Heldensagen*, 1901 (Breitkopf und Härtel). Sigmundr entrega o cadáver de seu filho, Sinfjötli, ao misterioso barqueiro. Johannes Gehrts (1901).

Richard Wagner Museum, Bayreuth/Dagli Orti/The Art Archive 135
Statens Historiska Museet, Estocolmo.
As valquírias, de uma produção de 1896 da ópera de Richard Wagner, *A Valquíria*.

ᛟ HELGI, O HERÓI SAGRADO ᛟ

Incrustada na "Saga dos Völsungs", e recontada em dois poemas édicos, está a história de Helgi, o filho de Sigmundr com Borghildr. O nome de Helgi significa "o sagrado" e pertence a um tipo lendário recorrente: o herói amante de uma valquíria (cf. p. 33). Essa história foi introduzida ao ciclo Völsung, pois o herói sagrado deve ser filho de alguém, e Sigmundr é um pai tão bom quanto qualquer outro. Helgi, como Váli, filho de Óðinn, é precoce:

O filho de Sigmundr se encontra em sua cota de malha,
um dia de vida; agora, o dia nasceu!
Perspicazes seus olhos como guerreiros;
ele é o amigo dos lobos, deveríamos estar felizes.
"Primeiro poema de Helgi, assassino de Hundingr", v. 6.

As bestas de batalha

As bestas de batalha são o corvo, a águia e o lobo. Na tradição germânica, eles têm presciência de quando batalhas estão por ocorrer e vão até o campo de massacre, antecipando, avidamente, sua devoração da carniça. Não há aclamação mais elevada na poesia nórdica antiga do que dizer de um rei que ele, frequentemente, dava café da manhã aos lobos.

Assim, um corvo comenta com o outro, avidamente antecipando os cadáveres, que essa prodigiosa criança proverá para as bestas da batalha banquetearem.

Helgi faz seu nome matando um certo Rei Hungingr e muitos de seus filhos quando tem apenas quinze anos. No caminho de volta de sua vitória, Helgi encontra Sigrún, a bela valquíria que o ama; ela pede ajuda para lidar com Höðbroddr, o pretendente com quem o pai deseja que ela se case; "Mas, Helgi, eu chamo Höðbroddr / um rei tão impressionante quanto o filhote de um gato!", ela acrescenta. Helgi promete ajudá-la e, a despeito dos mares perigosos descritos na excitante poesia, desembarca onde Höðbroddr e seus aliados o esperam:

Havia o impacto dos remos n'água e o choque do ferro,
escudo batido contra escudo, os vikings remavam;
precipitando-se sob os nobres
arremeteu o navio do líder para longe da terra.

Helgi ordenou que a vela alta fosse montada,
sua tripulação não se encolhia de encontro às ondas,
quando a terrível filha dos Ægir
quis emborcar o ainda encilhado cavalo das ondas.
"PRIMEIRO POEMA DE HELGI", V. 27, 29.

Statens Historiska Museet, Estocolomo.
Um navio da era *viking* retratado em uma imagem gravada em pedra de Tjängvide, Gotlândia.

A terrível filha dos Ægir é uma onda, e o "cavalo das ondas ainda encilhado", o barco de Helgi. A batalha termina com a vitória de Helgi, e ele adota uma Sigrún extática. O "Primeiro poema de Helgi" termina aqui; no "Segundo poema", que relata a parte anterior da história em mais detalhes, Sigrún parece mais humana. A valquíria que se regozija em massacres recua horrorizada quando descobre que o pai e todos os irmãos, com exceção de um, morreram, de modo que pode, agora, escolher seu esposo. Helgi faz as pazes com o irmão sobrevivente, Dagr, mas, logo, oferece sacrifício a Óðinn por vingança; o deus lhe dá uma lança, com a qual Dagr mata Helgi.

Helgi ainda não estava quite com a vida; uma criada relata ter visto o morto Helgi e seu séquito cavalgando no monte sepulcral. Sigrún fica tão eufórica "quanto os vorazes falcões de Óðinn / quando ficam sabendo da carne fumegante do massacre", assim como os corvos que elogiaram a coragem de Helgi em seu nascimento. Sigrún não teme passar uma última noite apaixonada com seu esposo morto no monte, beijando sua boca ensanguentada e bebendo bons licores com ele. Helgi revela que as lágrimas dela o estão perturbando; sua tristeza excessiva o está impedindo de ir para a próxima vida. Chega a aurora, Helgi e seus homens cavalgam rumo ao Valhöll, para jamais retornarem. Sigrún pode ter conseguido deixar o esposo partir, mas a tristeza e o luto a levaram à morte pouco depois.

ᛟ SIGURÐR, O MATADOR DE DRAGÕES ᛟ

A morte de Sinfjötli e a consequente transgressão de Borghildr deixa Sigmundr sem um herdeiro. Agora, com idade avançada, ele pede a mão de Hjördís, a filha do Rei Eylimi. Um pretendente rival, o Rei Lyngvi, filho do Hundingr morto por Helgi, também se apresenta. Oferecida uma escolha, Hjördís opta pelo mais velho e mais renomado Sigmundr, e o casamento vai adiante. A resposta de Lyngvi é lançar uma invasão. A grávida Hjördís e sua serva se refugiam nos bosques enquanto Sigmundr e o pai dela se juntam na batalha contra os invasores. A despeito de sua idade, Sigmundr não é derrotado até um caolho com um chapéu de aba larga e um manto negro aparecer diante dele. Ele obstrui o golpe da espada de Sigmundr com sua lança, e a espada se despedaça. O curso da batalha muda; Sigmundr e seu sogro, Eylimi, caem.

Hjördís recolhe os fragmentos da espada de seu esposo moribundo e é resgatada do campo de batalha pelo aliado de seu esposo, o Rei Álfr. Em sua corte, ela dá à luz Sigurðr, que é criado por Reginn o Ferreiro. O objetivo secreto de Reginn é usar o jovem herói para recuperar o tesouro guardado pelo irmão de Reginn, Fáfnir, o dragão. No entanto, Sigurðr tem seu próprio conjunto de prioridades. Seu padrasto o autoriza a escolher um cavalo de sua criação; lá, Sigurðr encontra um homem barbudo que o aconselha e, depois, revela que o cavalo escolhido, Grani, é descendente do próprio cavalo de Óðinn, Sleipnir. Não tarda muito para que Sigurðr chegue à masculinidade heroica. Reginn reforja a espada de Sigmundr, Gramr, para ele, e Sigurðr monta uma expedição naval contra Lyngvi

Granger, NYC/Alamy.
Kirsten Flagstad com Brünhilde em *Die Walküre*, de Wagner, em 1938.

A versão de Wagner

Em *Die Walküre* ("As valquírias"), de Wagner, a segunda ópera do "Ciclo do anel", Siegmund e sua irmã Sieglinde estavam há muito separados, e ela está num casamento infeliz com Hunding. Quando Siegmund, escapando de seus inimigos, refugia-se na casa do casal, o irmão e a irmã se apaixonam, embora compreendam sua relação, e fazem amor. No dia seguinte, Siegmund tem de lutar com Hunding, e Wotan decreta que Siegmund perderá. Brünnhilde, a filha valquíria de Wotan, é enviada para garantir que isso ocorra. Mas Brünnhilde se apieda de Siegmund, e ele está perto de vencer quando Wotan, repentinamente, aparece e despedaça sua espada, Nothung, com um golpe de sua lança. Siegmund cai morto nas mãos de Hunding. Brünnhilde recolhe os fragmentos da espada e Sieglinde para ela e foge. Wotan pune sua filha errante lhe destituindo de sua divindade e decretando que deve se casar. Sieglinde está grávida do herói e Siegfried refugia-se na floresta.

Universitetets Oldsaksamling, Oslo/Werner Forman Archive.
Reginn, à esquerda, e Sigurðr reforjam a espada Gramr de Sigmundr. Um detalhe das portas de madeira entalhadas da Igreja de Hylestad, Noruega, *c.* 1200.

em vingança por seu pai. A campanha contra Lyngvi é um grande sucesso e traz muito prestígio a Sigurðr. Agora, finalmente, é hora de ele provar sua coragem contra o dragão.

Fáfnir se torna um dragão

Reginn e Fáfnir eram irmãos; seu terceiro irmão, Otr, costumava se transformar em uma lontra para pegar peixes. Um dia, os três deuses – Loki, Óðinn e Hœnir – toparam com ele, e Loki jogou uma pedra em Otr, matando-o. Os deuses pegaram a pele de lontra e, sem querer, a mostraram a Hreiðmarr, pai de Otr, que prontamente exigiu recompensa por seu filho. Os deuses conseguiram ouro capturando o anão Andvari e tomando tudo o que tinha, inclusive um anel sobre o qual o furioso anão lançou uma maldição. E, tão logo Hreiðmarr aceitara o tesouro, seus filhos exigiram uma parte, e Fáfnir matou seu pai por isso. A maldição estava claramente funcionando. Fáfnir, então, transformou-se em um dragão e repousa sobre o tesouro acumulado, enquanto Reginn tramava para obter o ouro para si.

Universitetets Oldsaksamling, Oslo/Werner Forman Archive.
Sigurðr mata Fáfnir, o dragão. Um detalhe das portas de madeira entalhada da Igreja de Hylestad, Noruega, *c*. 1200.

Reginn leva Sigurðr até o brejo onde a grande serpente repousa sobre sua pilha de ouro. Reginn aconselha o herói a cavar uma vala, deitar nela e atingir o dragão no coração com a espada quando este descesse ao rio para beber, afastando-se, depois, do perigo. Quando Sigurðr começa a cavar, um velho barbudo aparece e o aconselha a cavar várias valas, de modo que o sangue venenoso do dragão escorra inofensivamente. Depois, ele desaparece. Essa é a última vez que Sigurðr vê o patrono de sua família; na verdade, é a última aparição de Óðinn nesse ciclo lendário até as mortes finais de Hamðir e Sörli, como veremos. O combate de Sigurðr com Fáfnir é tão pouco dramático que chega a desapontar ; a emboscada das valas é bem-sucedida, e o dragão moribundo troca profecias ("meu irmão será sua morte, como ele foi a minha") e sabedoria com o jovem herói. Reginn emerge de seu esconderijo e ordena que Sigurðr asse o coração do dragão em uma fogueira enquanto ele cochila. Sigurðr faz o que ele ordena; espeta o coração para ver se está pronto e queima o dedo. Quando o lambe para aliviar a dor, descobre que agora

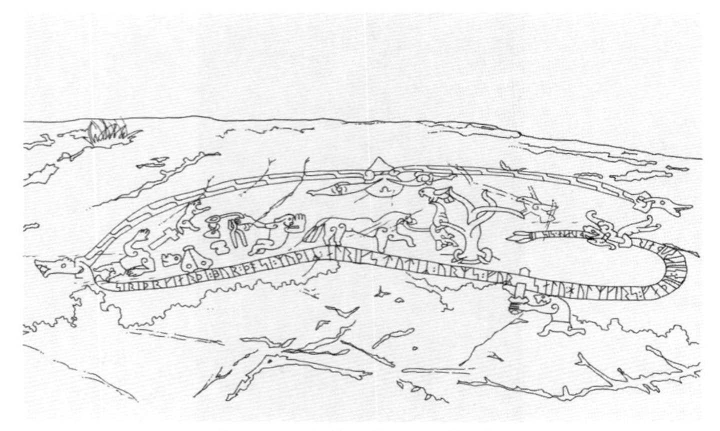

Ilustração de Dra. Dayanna Knight.
A pedra de Ramsund, Suécia, *c.* 1030. O cinto rúnico forma o corpo do dragão, perfurado por baixo por Sigurðr. Dentro do laço, da esquerda para a direita, o morto Reginn; Sigurðr provando o sangue do dragão; Grani, o cavalo; e os pássaros falantes, pousados sobre a árvore.

Sigurðr nas imagens em pedras

As aventuras de Sigurðr são frequentemente ilustradas nos monumentos de pedra da era *viking*. A versão mais conhecida está na pedra de Ramsund sueca, que mostra a história do assassinato de Otr, por meio do assassinato do dragão (o cinto rúnico através do qual Sigurðr está enfiando sua espada) para o cozimento do coração, o aviso dos pássaros e o assassinato de Reginn. Há outras pedras rúnicas suecas com entalhes similares, em estados variados de restauração. Imagens de Sigurðr enfiando o dedo na boca são muito comuns nas esculturas de pedra britânicas; existem imagens do salão de Ripon e Kirby em Yorkshire. Na Ilha de Man existem várias cenas relacionadas a Sigurðr entalhadas em cruzes de pedra. Há uma imagem particularmente boa na pedra rotulada Andreas 121, mostrando Sigurðr assando o coração de Fáfnir (claramente fatiado em anéis) e colocando o dedo na boca. O cavalo Grani está olhando sobre seu ombro, com as orelhas levantadas para ouvir os pássaros. Em outro local de Man, vemos Sigurðr golpeando o dragão com sua espada; outra pedra mostra Loki atirando a pedra em Otr e Grani com o ouro em suas costas.

entende a língua dos pássaros. Um bando de nuthatches pousados próximo lhe avisa, como fez Fáfnir, que Reginn planeja matá-lo pelo ouro. Sigurðr impede isso cortando a cabeça de Reginn, recompensando Grani com o tesouro e partindo para sua próxima aventura: o encontro com a valquíria adormecida sobre a montanha Hindarfjall.

Foto: Carolyne Larrington.
Sigurðr assa fatias do coração de Fáfnir sobre o fogo, enquanto Grani olha sobre seu ombro. Detalhe de uma cruz de pedra da era *viking*, Andreas 121, Ilha de Man.

O dragão de Tolkien

Smaug, o dragão de J.R.R. Tolkien em *O Hobbit*, recebe o nome de uma palavra nórdica antiga que significa *crept* ["infiltrado"]. Ele é baseado no dragão de Beowilf, um monstro voador que expira fogo, mas diferente do dragão do inglês antigo, e, muito mais como Fáfnir, Smaug pode falar. Ele tem uma longa conversa com Bilbo, o *hobbit*, que o distrai com uma fala enigmática enquanto ele espiona o ponto vulnerável do dragão, um lugar em sua axila onde suas escamas ficaram finas. Esse conhecimento, comunicado a Bard o Arqueiro, por um melro amigável, permite-lhe derrubar o dragão dos céus. Bard é um dos Homens de Dal, os quais, como Sigurðr, compreendem a língua dos pássaros.

No poema inglês antigo *Beowulf*, que é muito anterior à saga e, provavelmente, aos poemas édicos no qual ela está baseada, a luta com o dragão é atribuída a Sigmundr, não a seu filho, e é um combate muito mais audacioso. Beowulf também participa em um conflito épico contra um dragão que ama tesouros, que se esconde em um pequeno monte em seu reino. Provocado pelo ladrão de um único cálice de ouro, esse dragão infligiu uma feroz destruição sobre a terra. Beowulf, ajudado por seu parente jovem Wiglar, mata a besta, salva seu povo e conquista o tesouro, mas à custa de sua própria vida. O dragão de Beowulf é uma criatura alada de quatro pernas que expira fogo e inerentemente mais difícil de lidar do que a serpente rastejante Fáfnir; ele tem de ser encurralado em seu monte e combatido de perto, a despeito de sua expiração flamejante. O outro grande matador de dragões do norte, Ragnarr Calças Felpudas, cuja história é contada no capítulo 5, usa astúcia para derrotar seu monstro e vive para contar a história.

ᛟ SIGURÐR E A VALQUÍRIA ᛟ

Guiado por seus amigos pássaros, e tendo comido mais do coração de Fáfnir, Sigurðr vai para Hindarfjall. Lá, cercada por uma parede de escudos, dormindo em sua cota de malha, está uma valquíria. Ela desobedecera Óðinn dando vitória a um belo príncipe jovem, em vez de dá-la a seu oponente ancião, e tinha de ser punida: Óðinn a havia picado com um espinho sonífero e decretado que deveria se casar. O jovem herói acorda a mulher, que o cumprimenta calorosamente, oferece-lhe uma "bebida da memória" e lhe transmite sabedoria mágica e social. Aqui, as tradições nórdicas se tornam complicadas. Os poemas édicos nomeiam a valquíria como Sigrdrífa (Provocadora de Vitórias) e seus conselhos marcam o ponto após o qual toda uma seção do manuscrito está faltando. Quando a coleção recomeça, Sigurðr já está na corte dos Gjúkungs (cf. a seguir) e envolvido nos triângulos amorosos interconectados estabelecidos

Foto: Carolyne Larrington.
Estátua de Sigurðr (Siegfried) e Grani da fonte Siegfried, Berlim, esculpida por Emil Cauer o Jovem (1911).

pela trapaça de seus cunhados. Na "Saga dos Völsungs", a valquíria é nomeada como Brynhildr; aqui, ela assume o papel de Sigrdrífa, cuja função pode simplesmente ter sido dar orientação vital ao herói.

Brynhildr claramente deve ter um elemento valquíria/donzela escudeira em sua história, pois, na saga, Sigurðr fica noivo dela na montanha e parte. Agora, ao menos na saga, o jovem deixa o mundo épico heroico para trás e entra na esfera do romance cortês; um domínio tão repleto de duplicidade quanto qualquer dos salões do rei do início no ciclo. Embora tenha assassinado preventivamente o pai adotivo, Sigurðr está malpreparado para lidar com os tipos de politicagem que agora encontrará.

Sigurðr vai para a corte dos Gjúkungs em Worms, no Reno, onde, os irmãos Gunnarr e Högni o recepcionam, e a mãe deles, Grímhildr, trama para uni-lo à família casando-o com a filha Guðrún. Guðrún

Uma moderna recriação da lenda de Völsung

O autor Melvin Burgess escreveu dois romances para jovens adultos baseados na lenda de Völsung. Esses estão estabelecidos em uma Inglaterra *cyberpunk* do futuro, onde a engenharia genética é difundida e chefes de gangues lutam pelo controle de Londres. O primeiro, *Bloodtide* [*Maré de sangue*] (1999), é baseado na história de Sigmundr e Signý, enquanto o segundo, *Bloodsong* [*Cantiga de sangue*] (2005), segue o destino de Sigurðr: sua busca para resgatar Bryony, o equivalente de Brynhildr, da cidade subterrânea onde é mantida cativa e a duplicidade da parte de seus amigos Gunar e Hogni. Burgess extrai sua imagística de jogos de computador, filmes e histórias em quadrinhos para criar sua visão extraordinária. Ambos os romances reimaginam vividamente as lendas, de forma que envolvem os conflitos dos adolescentes para encontrar suas identidades e para descobrir no que realmente acreditam.

rapidamente se apaixona pelo belo recém-chegado; Grímhildr dá a Sigurðr uma "bebida do esquecimento" mágica, e ele logo fica noivo de Guðrún, inconsciente de seus votos anteriores. Agora, Gunnarr decide buscar uma noiva para si e ouve falar da donzela-escudeira Brynhildr, que habita seu salão cercada por um muro de fogo. Ela havia jurado se casar somente com o homem que conseguisse atravessar as chamas. Os jovens partiram juntos, mas o cavalo de Gunnarr hesita diante da flamejante barreira. Somente Grani tem a coragem de galopar através do inferno. Ajudados pela mágica de Grímhildr, Gunnarr e Sigurðr trocam de aparências, e, disfarçado de Gunnarr, Sigurðr cruza o muro de chamas e passa três noites com Brynhildr, pousando sua espada entre eles para garantir castidade. Profundamente infeliz, Brynhildr suspeita que algo está faltando: claramente, apenas Sigurðr, seu noivo, poderia atravessar as chamas? E, todavia, aqui, é Gunnarr, reivindicando ela como sua noiva.

Um duplo casamento é celebrado, durante o qual a "bebida do esquecimento" perde o efeito para Sigurðr; ele recorda de seus votos, mas decide permanecer silente. Brynhildr está atônita e miserável com sua perfídia. Quando Guðrún e Brynhildr discutem sobre precedência, quando estão se banhando no rio, Guðrún revela a trapaça praticada sobre a cunhada. Brynhildr se fecha no quarto, planejando a vingança. Nem Gunnarr nem Högni, nem, ainda, um Sigurðr arrependido, que se oferece para abandonar Guðrún e se casar com ela, podem mitigar a fúria de Brynhildr.

Eu tenho de ter Sigurðr – se não ele morrerá –
aquele jovem eu terei em meus braços.

As palavras que estou agora falando lamentarei depois,
Guðrún é sua esposa, e eu, de Gunnarr;
as odiosas nornas decretaram esse longo tormento para nós. [...]

Vou prosseguir sem felicidade nem esposo,
me darei prazer com meus pensamentos selvagens.
"Poema curto sobre Sigurðr", v. 6, 7, 9.

Outras complicações são reveladas nos poemas édicos, quando a sequência é retomada após as folhas faltantes. Brynhildr foi forçada a se casar com seu irmão Atli, que ameaçara retirar sua parte da herança familiar caso se recusasse. Relutante em entregar sua liberdade, Brynhildr concebeu o teste do muro de chamas e fez o juramento de se casar somente com o homem que conseguisse cruzá-lo, um juramento que ela, agora, foi induzida a romper. Brynhildr sugere a Gunnarr que Sigurðr foi seu "primeiro homem", uma afirmação que faz sentido em termos do noivado anterior (e, na verdade, em uma tradição, o casal tem uma filha – cf. cap. 5). Gunnarr interpreta essa afirmação como Sigurðr tendo mentido sobre as noites castas que ele e Brynhildr passaram juntos após a travessia do muro de chamas. Gunnarr não quer perder Brynhildr nem seu tesouro, mas ela não se reconciliará com ele. Seu irmão Högni deseja, sinceramente, que nenhum deles jamais tivesse posto os olhos em Brynhildr. E ela própria quer Sigurðr morto.

Richard Wagner, *Siegfried & the Twilight of the Gods*, 1911 (Londres).
Brünnhilde cavalga Grani em direção às chamas, no final de *Götterdämmerung*.
Arthur Rackham (1911).

O conflito doméstico logo atinge seu ponto de crise; Gunnarr e Högni fizeram juramentos tão fortes a Sigurðr que temem rompê-los, então servem uma cerveja mágica potente ao seu irmão mais jovem, Guttormr, que não fizera o juramente, e Sigurðr é assassinado. Diferentes poemas édicos sugerem locais distintos para isso; um diz que o herói morre a caminho da Assembleia, com sua morte revelada por um Grani sem cavaleiro que galopa até Guðrún. Ou que ele é assassinado na floresta, enquanto caçava, como no *Nibelungenlied* no alto-alemão médio. Na tradição nórdica antiga de maior peso, Guttormr o mata enquanto está deitado na cama com Guðrún; ela desperta e se vê banhada no sangue do esposo. Guðrún fica tão traumatizada que, no início, não consegue sequer chorar, até que sua irmã lhe mostra o cadáver do esposo. Brynhildr permanece com raiva; ela amaldiçoa a mulher que salvou a sanidade de Guðrún. Guðrún busca refúgio na Dinamarca, longe das tumultuosas repercussões da morte de Sigurðr. Vingança parece fora de questão, pois matar os irmãos por

Brünnhilde e Siegfried de Wagner

A Brünnhilde de Wagner é despertada pelo herói Siegfried no Ato III da terceira ópera do ciclo, *Siegfried*, e os dois esperam ser felizes juntos. Mas, no começo da ópera final, *Götterdämmerung* ("O crepúsculo dos deuses"), Siegfried anseia por outra aventura e deixa sua amada, zarpando o Rio Reno abaixo nas garras de Gunther, Hagen (filho do Nibelungo Alberich e do meio-irmão de Gunther), e da irmã deles, Gutrune. A trama se desenrola como na saga, com uma "bebida do esquecimento", uma troca de aparências, a trapaça de Brünnhilde e seu relutante casamento com Gunther. Quando Brünnhilde se apercebe do que está ocorrendo, ela revela a Hagen o segredo de como Siegfried pode ser morto, e Siegfried é assassinado enquanto estão caçando na floresta. A decisão de Brünnhilde de morrer na pira funerária de seu amado precipita o fim do domínio dos deuses, mas o anel amaldiçoado, que passou de Siegfried para Brünnhilde e, novamente, a Siegfried, é, finalmente, devolvido por Brünnhilde para as donzelas do Reno, de quem foi roubado.

tramarem a morte de seu esposo dizimaria sua família e traria pouca satisfação – e quem sobrou para cometer esse assassinato?

Brynhildr logo percebe que, ao provocar a morte de Sigurðr, não lhe resta nada pelo que viver. Ela sobe em sua pira funerária e se prepara para morrer, proferindo uma longa profecia sobre o lúgubre futuro dos Gjúkung. E, assim, termina a linha Völsung – pois o pequeno filho de Guðrún e Sigurðr foi morto com o pai. Brynhildr morre espetacularmente. Um poema édico, *Helreið Brynhildar* ("A cavalgada a Hel de Brynhildr"), mostra sua jornada após a morte para encontrar Sigurðr. Ela passa pela casa de uma giganta que a reprova: "teria sido melhor para você ficar com sua tapeçaria / do que ir visitar o homem de outra mulher". Brynhildr, dizendo "sua estúpida" à giganta, começa a se defender: "os herdeiros de Gjúki me privaram de amor / e me tornaram uma quebradora de promessa". E, assim, ela segue para se unir ao amado Sigurðr, para nunca mais se separar dele novamente.

⚲ GUÐRÚN E ATLI ⚲

Brynhildr não consegue esquecer a má-fé dos Gjúkung e seu involuntário ex-amante, e sai da lenda em um arroubo glorioso. A pobre Guðrún, cuja traição ao segredo do esposo desencadeou a catástrofe, deve encontrar um modo de continuar. A despeito das terríveis premonições que Brynhildr proferiu em seu monólogo final, a família de Guðrún logo se mobiliza para levá-la para casa e casá-la novamente. O novo esposo é Atli (Átila o Huno), irmão de Brynhildr, que se ressente do tratamento que a família dispensa à irmã. Os Gjúkung lhe devem uma mulher, e Guðrún é enviada para se casar com ele. Novamente, as tradições variam. Em um poema, é dito que eles se deram bem no início, que "eles amorosamente / se abraçavam diante dos nobres"; em outro, eles trocam recriminações sobre quem se comportava pior com quem, em uma exibição horrível de altercação. Atli e Guðrún têm dois filhos, mas o líder dos hunos está preocupando em se apropriar do tesouro que pertencia ao ex-esposo de sua esposa, agora, nas mãos dos irmãos dela.

Universitetets Oldsaksamling, Oslo/Werner Forman Archive.
Gunnarr no ninho de cobras. Um detalhe das portas de madeira entalhada da Igreja de Hylestad, Noruega, *c.* 1200.

Um convite amigável para Gunnarr e Högni (a despeito das premonições de Guðrún de que a traição subjaz a ela) é aceito. Em um poema, os irmãos suspeitam que Atli lhes quer mal, mas consideram covardia se recusar a ir; em outro, o mensageiro revela a trama somente quando estão quase na casa da fazenda de Atli. Os irmãos lutam desesperadamente e são capturados. Gunnarr se recusa a revelar o paradeiro do tesouro, a menos que veja o coração de Högni extirpado de seu corpo. Após uma tentativa de usar o coração de um escravo, Högni é assassinado: "Então, Högni riu enquanto extirpavam seu coração, / forjador vivo de cicatrizes, jamais pensou em gritar". Gunnarr, agora, sabe que o segredo perecerá com ele; ele é jogado em um ninho de cobras, e, embora toque sua harpa para acalmar as serpentes, uma termina atingindo seu coração e Gunnarr morre.

Enquanto isso, em casa, Guðrún se vingou de seu esposo de uma forma terrível. Quando ele retorna do ninho de cobras, ela o recebe, oferece-lhe uma bebida e serve aperitivos para ele e todos os outros hunos, para acompanhar a cerveja. Somente depois ela revela o que estão comendo:

Você está mastigando com mel, sangrentos como cadáveres,
os corações de seus próprios filhos – parceiros de espadas;
você está enchendo o estômago, orgulhoso senhor, com carne humana morta,
comendo-a como aperitivos e enviando-a para a cadeira alta.
"Poema de Atli", v. 35.

Guðrún havia massacrado seus filhos, e Atli os havia comido. Nesse poema, ela leva os eventos a um rápido desfecho, esfaqueando seu esposo bêbado na cama, colocando fogo no salão e descendo à beira do mar, onde pretende se afogar. Mas as ondas a afastam em direção à terra do Rei Jónakr, onde um terceiro casamento a espera.

Em outro poema que relata esses eventos, Guðrún graceja enquanto chama os meninos até ela: "há muito tempo queria curar vocês da velhice". Os meninos, calmamente, aceitam seu destino,

"Esta cadeia de dores"

Outro poema posterior revela que Brynhildr tinha uma irmã, Oddrún, que amava Gunnarr "como Brynhildr deveria amar". Uma vez que Brynhildr estava morto, o tirânico Atli se recusou a deixar Oddrún se casar com o viúvo de sua irmã. Oddrún e Gunnarr tornaram-se amantes secretos até serem apanhados. Assim, Atli tinha um duplo motivo para o assassinato de seu cunhado: honra da família e tesouro retido. Tanto Guðrún quanto Oddrún compartilham e expressam prontamente a dor que é o destino das mulheres nesta cultura patriarcal e vingativa: "a todas as senhoras – que vossas dores diminuam, / agora que esta cadeia de dores foi contada", conclui Guðrún em seu último pronunciamento na Edda poética.

avisando: "logo será sua trégua da fúria / quando você descobrir o resultado". Ao assassinar os filhos e forçar o pai deles a pôr de volta dentro de si os filhos que são carne de sua carne, Guðrún mostra um sinal notadamente vivido da rejeição da linhagem na qual havia sido incorporada. As últimas partes do ciclo Völsung-Gjúkung desenvolvem o tema dos maus-tratos às mulheres, tratadas como meros objetos de troca entre grupos familiares, criaturas cujos sentimentos necessitam pouca consideração na busca por vantagem política por meio do forjamento de alianças.

ᛟ A VINGANÇA DE GUÐRÚN POR SUA FILHA ᛟ

No movimento final da vida de Guðrún, ela se casa com o Rei Jónakr e tem mais dois filhos. Então ocorre novamente uma tragédia. Guðrún e Sigurðr também tiveram uma filha, que agora é revelada, Svanhildr, "um dos meus filhos a quem mais amei em meu coração; / assim era Svanhildr em meu salão / como um raio de sol luzindo esplendidamente". Svanhildr é enviada para se casar com Jörmunrekkr, rei dos godos. O filho de Jörmunrekkr, Randvér, de um casamento anterior, busca sua nova madrasta, com a idade muito próxima à sua, e, na jornada para casa, eles parecem ter se tornado amigos. Não fica claro se ambos se apaixonaram, como Tristão e Isolda – cuja história havia começado a circular na Escandinávia no começo do século XIII –, ou se as alegações contra eles eram mera calúnia. Mas Jörmunrekkr foi persuadido de que sua honra havia sido impugnada; ele enforcou o filho e fez com que a esposa fosse pisoteada por cavalos até a morte. Do patíbulo, Randvér lhe enviou seu próprio falcão depenado, e Jörmunrekkr, rapidamente, compreendeu o simbolismo: ele havia se mutilado executando o próprio herdeiro. Mas essa compreensão veio muito tarde; o enforcamento já havia começado.

Para Guðrún, as notícias de que o último vínculo com seu querido Sigurðr, a sua filha Svanhildr, havia sido exterminado de um modo tão horrífico exige que ela se vingue em Jörmunrekkr. Ela chama seus filhos Hamðir e Sörli e, chorando, pede-lhes que partam em uma missão de vingança pela irmã. Os jovens são relutantes – um ataque a Jörmunrekkr na fortaleza dos godos é como um suicídio – e a lembram de que, quando ela compara desfavoravelmente a coragem deles à de seus irmãos, como eles ativaram o ciclo de vingança-assassinatos que ela agora busca perpetuar. Uma irmã tem de ser vingada como um irmão certamente seria? A questão fica suspensa no ar; assassinar mulheres é raro nas lendas nórdicas, e a ética da situação era incerta. A história se desenvolve em dois poemas. Em um, os filhos partem em sua missão, deixando a mãe para trás a pranteá-los e sua filha perdida,

---

O Rei Jörmunrekkr

Jörmunrekkr, um governante histórico dos godos, parece ter sido infame por seu comportamento tirânico, pelo que aparece no poema inglês antigo *Deor* (que, como mencionado no capítulo 2, também conta a história de Weland o Ferreiro). Ermanric, como é chamado no inglês antigo, tem uma "mente de lobo". "*Þæt wæs grim cyning!*" ("Aquele rei terrível!"), o poeta nos diz, e muitos guerreiros desejavam que o reino pudesse ser derrubado e Ermanric, deposto. E, de fato, ao menos no nórdico antigo, ele encontra um fim merecido e horrível.

---

e para requerer a construção de uma grande pira funerária de madeira de carvalho. Nesse momento, ela está pronta para partir desse mundo e se unir ao seu amado Sigurðr. "Encilha, Sigurðr, o cavalo negro brilhante, / o cavalo de batalha de patas rápidas – deixe-o galopar até aqui", ela comanda.

Em outro poema, Hamðir e Sörli partem furiosos, incitados pela mãe a buscar vingança por Svanhildr. A caminho da residência de seu pai, eles encontraram o meio-irmão, que lhes oferece assistência de maneira enigmática: "como um pé ajuda o outro". Erpr, o meio-irmão, está, metaforicamente, sugerindo que parentes são partes do mesmo corpo, mas os outros dois se recusam deliberadamente a decodificar o significado e o abatem onde se encontra. Contra todas as expectativas, eles entram no salão dos godos e capturam Jörmunrekkr, cortando suas mãos e seus pés e jogando-os no fogo. Mas o rei atina a gritar para seus homens (pois se dá conta de que os irmãos são magicamente invulneráveis): "Apedrejam-nos!", e seus guerreiros obedecem. Na "Saga dos Völsungs", a ordem para apedrejar os irmãos vem, inevitavelmente, de um misterioso ancião caolho que, repentinamente, entra no salão. Por fim, apercebendo-se de sua loucura em matar Erpr ("Sem sua cabeça estaria Erpr agora se estivesse vivo"), os irmãos morrem, parabenizando-se por terem lutado bem, e se comparando a águias, bestas de batalha que pousam sobre as pilhas dos mortos. Por fim, o ciclo de morte e vingança se extingue. Não restaram mais Gjúkung ou Völsung.

O longo ciclo Völsung/Gjúkung é a sequência mais conhecida e influente de lendas heroicas do norte, graças às óperas de Richard Wagner e do poema épico de William Morris, *The story of Sigurd the Volsung and the fall of the Niblungs* ["A história de Sigurd, o Volsung e a queda dos Nibelungos"], publicado em 1876, no mesmo ano em que o "Ciclo do anel", de Wagner, estreou em Bayreuth. Mas há um bom número de outras histórias de heróis preservadas nas lendas nórdicas, heróis cuja ética, muitas vezes, torna difícil escrever sobre eles. Vamos encontrá-los no próximo capítulo.

5

OS HERÓIS DO MUNDO *VIKING*

O capítulo anterior mostrou como a catastrófica história dinástica dos Völsungs e dos Gjúkung foi recontada em uma sequência de poemas, que exploravam a ética do comportamento heroico e tudo o que ela envolve: a sobrevalorização do parentesco masculino e das redes de amizade em relação à percepção das mulheres sobre sua própria individualidade, a natureza problemática da vingança e a extraordinária atração do tesouro. Tudo isso define o tipo de heroísmo nórdico que foi herdado da tradição germânica. Há pouco sentimento de altruísmo, de poupar a comunidade combatendo monstros, guerreando contra exércitos invasores ou de dar às mulheres liberdade para fazerem suas próprias escolhas. A queda dos Völsungs e dos Gjúkung é um lembrete salutar de que há mais coisas na vida heroica do que o melindre de sua própria honra. Neste capítulo aprenderemos sobre vários heróis nórdicos bem conhecidos e suas diferentes compreensões sobre o que faz um herói.

STARKAÐR O FORTE

Starkaðr teve uma herança difícil; seu avô foi um gigante que raptou uma princesa, e seu pai Stórvirkr nasceu maior e mais forte do que muitos homens. Stórvirkr fugiu com Unnr, a filha do Jarl de Hálogaland, no norte da Noruega, contra os desejos da família dela. Os irmãos de Unnr os perseguiram até a ilha onde estavam vivendo e queimaram a família viva. De algum modo, Starkaðr escapou e foi recebido pelo Rei Haraldr de Agde, no sul da Noruega. Haraldr, mais tarde, foi assassinado pelo rei de Hordaland (onde agora fica Bergen), e Starkaðr, com três anos, foi criado por um homem com o estranho nome de Hrosshárs-Grani (Grani Crina de Cavalo, ecoando o nome do notável cavalo de Sigurðr). Nove anos depois, o filho de Haraldr, Víkarr, foi buscar vingança por seu pai e encontrou Starkaðr na casa de Hrosshárs-Grani. O jovem Starkaðr era um aparentemente inútil "mordedor de carvão". Mas ele era, também,

Mordedores de carvão

Os mordedores de carvão são garotos preguiçosos e pouco promissores que recebem seu nome da prática de se sentarem ao redor do fogo, recusando-se a fazer qualquer coisa útil. Muitas vezes eles são calados e taciturnos. Tendem a irritar muito seus pais, mas suas mães frequentemente os defendem, argumentando que, no fim, os garotos simplórios e indolentes vão acabar se saindo bem. Muitos heróis nórdicos antigos começaram a vida desse modo. Um exemplo clássico é Offa de Angeln (norte da Alemanha) na descrição que Saxo faz dele. Ele era calado quando jovem e seu pai Wermund o julgava um tolo. Wermund então ficou cego e os vizinhos saxões ameaçaram invadir seus domínios. Wermund se ofereceu para enfrentar seu rei em um duelo, mas eles declararam que lutar contra um homem cego seria uma desonra. Isso estimulou Offa a agir. Ele lutou contra dois campeões saxões ao mesmo tempo, mas suas espadas se quebravam devido à sua enorme força. Wermund rapidamente mandou desenterrar sua antiga espada – ele a havia abandonado quando perdeu a visão – e a entregou a seu filho. Com essa arma (que tinha o nome bizarro de Skræp), Offa conquistou vitória e honra entre os Anglos. J.R.R. Tolkien fundou uma sociedade de "Mordedores de carvão" em Oxford em 1926 – na verdade um grupo de leitura de textos nórdicos antigos – e o nome se manteve por muito tempo após seus dias.

extremamente grande, com uma compleição escura – e já tinha barba aos doze anos!

Víkarr deu armas a Starkaðr e partiu com ele em seu barco para buscar pelo assassino do pai. O rei de Hordaland e seus guerreiros lutaram vigorosamente, mas os irmãos adotivos prevaleceram. Starkaðr ficou horrivelmente ferido:

Ele [o oponente de Starkaðr] me cortou dolorosamente
com sua espada de ponta afiada contra meu escudo,
arrancou o elmo de minha cabeça e cortou meu crânio;
meu maxilar foi aberto até os dentes posteriores
e deixou minha clavícula esquerda arruinada.

"Fragmento de Víkarr", v. 14.

Contudo, ele sobreviveu e, por quinze anos, foi o amigo mais querido e o braço direito de Víkarr, na guerra e na paz. Contudo, nada dura para sempre, e, numa estação de ataques, Víkarr decidiu voltar para Hordaland para lutar. A frota pegou apenas ventos contrários, e, quando jogaram lascas de madeira para adivinhar o porquê, tornou-se aparente que Óðinn queria um sacrifício: alguém tinha de ser enforcado. E, surpreendentemente, tocou ao Rei Víkarr. Todos ficaram muito quietos e decidiram fazer uma reunião no dia seguinte para discutir isso.

No meio da noite, quem poderia aparecer no acampamento senão Hrosshárs-Grani? Ele acordou silenciosamente seu filho adotivo Starkaðr e o levou em um barco a remo até uma pequena ilha arborizada. Doze cadeiras foram ordenadas em círculo numa clareira; onze foram ocupadas, e o próprio Hrosshárs-Grani sentou-se na duodécima. Os outros o saudaram como Óðinn, e ele anunciou que havia feito a convocação para julgar o destino de Starkaðr. Þórr, um dos presentes, tinha implicância com Starkaðr, pois a menina que havia fugido com seu avô havia, anteriormente, rejeitado Þórr como pretendente, preferindo um gigante – e sabemos como Þórr se sente em relação aos gigantes. O deus proclamou que Starkaðr não deveria ter filhos. Óðinn desempenhou a parte da boa fada madrinha, decretando que Starkaðr deveria viver por três vidas humanas. "E ele realizará um feito mau em cada uma delas", anunciou Þórr. A competição entre os deuses continuou. Enquanto Óðinn declarava que seu filho adotivo teria as melhores vestimentas e armas, muitos tesouros, vitória em batalhas, o dom da habilidade poética e seria honrado por todos, Þórr contrapunha com maldições: Starkaðr não terá casa nem terras, será um miserável, nunca achando que seu tesouro é o bastante; ele será ferido em cada batalha, incapaz de se lembrar dos poemas que compôs, e, embora possa ser altamente honrado por nobres, será horrível para as pessoas comuns, que o odiarão. O coletivo divino concordou com esse destino para Starkaðr, e ele foi levado de volta ao acampamento. Hrosshárs-Grani pediu uma recompensa pelo trabalho da noite, e

Starkaðr concordou. "Dê-me o rei", pediu o ancião, e ele entregou a Starkaðr uma lança disfarçada para parecer um junco.

No dia seguinte, no conselho, Starkaðr veio com um plano. Eles deveriam simular um sacrifício do rei. Ele identificou uma árvore com um galho baixo para enforcamento, o toco de uma árvore foi colocado abaixo dele. Um novilho foi morto, e suas vísceras foram torcidas em um laço corrediço. Víkarr concordou que não poderia haver perigo possível subir no toco com o laço, pendurado no galho baixo, apenas frouxamente colocado em torno de seu pescoço. Então se posicionou lá, e Starkaðr o golpeou com o junco em sua mão, dizendo: "Agora vos entrego a Óðinn!" Mas, enquanto golpeava Víkarr, o laço apertou em torno do pescoço do rei, e o galho da árvore saltou para cima, o tronco no qual o rei estava rolou – e o inofensivo junco se tornou uma lança. Perfurado pela lança e enforcado, Víkarr morreu como um sacrifício odínico. Mais um herói para o Valhöll, mas Starkaðr foi forçado ao exílio.

Esse único feito contou como uma vida inteira de vilanias de Starkaðr. Em outra parte, vemos que, sem dúvida, devido à descendência de gigantes, nasceu com quatro braços extras, os quais Þórr, gentilmente, arrancou dele, de modo que parecesse um pouco mais humano. Após a morte de Víkarr, Starkaðr parte para atacar várias terras, onde conquista vitórias notáveis. Ele desenvolveu um ódio surpreendente por atores e outros artistas; deixou Uppsala, onde estava presente durante um dos grandes sacrifícios, porque não conseguiu tolerar os "movimentos corporais efeminados" dos participantes, e, na Irlanda, mandou açoitar completamente um bando de atores e cantores. Embora estivesse a serviço da coroa holandesa, após o assassinato do Rei Frodi da Dinamarca, Starkaðr deixou a corte de seu filho, desgostoso com a autocomplacência do jovem Rei Ingeld, e viajou por toda parte.

Ele retornou à Dinamarca no momento exato; a irmã mais jovem de Ingeld fora prometida a um norueguês, Helgi, mas um bando de irmãos guerreiros selvagens, liderados por Angantýr (do qual falaremos adiante), desafiou Helgi pela mão da noiva. Starkaðr concordou em encontrá-los em um único combate e matou todos, embora tenha ficado severamente ferido, com os intestinos pendendo de um enorme corte. Starkaðr se apoiou numa rocha. Um homem guiando uma carroça parou e lhe ofereceu ajuda em troca de uma recompensa, mas Starkaðr decidiu que esse homem era muito inferior e simplesmente o insultou – mostrando o desprezo pelas pessoas comuns que Þórr lhe havia infligido. Outro salvador apareceu, mas, quando o herói ferido o questionou, esse homem admitiu ter se casado com uma criada. Isso também o desqualificava. Uma escrava também foi rejeitada; e, finalmente, um agricultor nascido livre teve permissão para pôr bandagem no estômago de Starkaðr e colocar suas vísceras para dentro.

Starkaðr voltou para a casa de Ingeld, mas ficou surpreso ao descobrir que a esposa alemã de Ingeld havia apresentado uma culinária europeia interessante (carne com molhos!), almofadas, músicos (um *bête noire* particular, como sabemos), conversação espirituosa e cálices de vinho decorados. O pior de tudo, Ingeld havia perdoado e promovido os homens que haviam assassinado seu pai. Starkaðr denunciou em um longo poema todas as práticas decadentes que via ao seu redor; um que Saxo Grammaticus cita em detalhe e em latim. Isso teve o efeito desejado; Ingeld se pôs de pé, puxou a espada e matou os assassinos do pai imediatamente. A rainha, com seus modos sofisticados, foi rapidamente banida.

Olaus Magnus, *A Description of the Northern Peoples*, 1555 (Hakluyt Society). O senescente Starkaðr oferece um saco de ouro para Hather, a fim de persuadir o jovem a matá-lo. Olaus Magnus (1555).

Após muitas outras batalhas, Starkaðr estava tão exausto que não queria mais viver, e pensou que não seria heroico morrer de velhice. Ele perambulou pelo país tentando encontrar alguém que o matasse, com um saco de ouro pendurado em seu pescoço para recompensar o matador. Após (de acordo com suas visões de classe) rejeitar a oferta de um camponês para matá-lo, encontrou Hather, o filho de um dos vários homens que ele havia matado. Hather estava pronto para agir, tanto por vingança pelo pai quanto pelo pagamento. O ancião insistiu em que seu oponente o decapitasse e corresse entre a cabeça e o corpo enquanto essa caísse, pois isso tornaria Hather magicamente imune a qualquer arma. Hather, de fato, cortou a cabeça, mas não se arriscou a correr entre ela e o corpo. A cabeça de Starkaðr voou pelo ar, rangendo seus dentes e se alojando profundamente em um tufo de grama. O conselho não era senão uma trapaça: se Hather tivesse passado em qualquer lugar próximo ao corpo, seu peso em queda o teria matado instantaneamente. Starkaðr foi enterrado com a devida honra em um monte no mesmo lugar. Þórr é culpado do comportamento de Starkaðr, mas sua decisão de trair o amigo Víkarr inaugura uma carreira de violência descomprometida, separada de qualquer compreensão de ética ou de ajuda a outros. Seu estilo de heroísmo o aliena de todos à sua volta: uma advertência sobre os efeitos da violência masculina exagerada e da obsessão com a honra.

ᛟ RAGNARR CALÇAS FELPUDAS – O OUTRO MATADOR DE DRAGÕES ᛟ

O conde da Gautlândia, no sul da Suécia, amava tanto a filha Þóra que decidiu dar a ela uma pequena cobra brilhante que ele havia encontrado. Þóra lhe perguntou o que faria a cobra crescer, e a resposta era colocar uma nova moeda de ouro debaixo dela todos os dias – pois, como sabemos, dragões germânicos gostam muito de tesouros. Não demorou muito para que a serpente ficasse enorme, sentada em uma grande pilha de ouro e comendo um boi inteiro por dia. Ela havia se entrelaçado em torno da residência de Þóra e era afável com ela, mas hostil a todos os demais. Era necessário lidar com esse monstro, e, assim, o rei anunciou que quem quer que o matasse teria a mão de sua filha – e o tesouro como dote. Ninguém ousava enfrentar a criatura, até que o jovem Ragnarr, filho do rei da Dinamarca, ouviu falar da serpente e do prêmio. Preparou um manto e um par de calças feitas de lã felpuda, e as mergulhou no piche. Depois, zarpou para a Gautlândia.

A arma de Ragnarr era uma lança, e ele removeu um dos pregos que seguravam a ponta. Após rolar na areia, que se grudou muito bem ao piche, ele atacou corajosamente o monstro. Ragnarr o golpeou com a lança; enquanto a besta se contorcia em sua agonia, a ponta da lança ficou presa ao seu corpo. Ele, rapidamente, se virou em retirada enquanto uma enorme onda de sangue venenoso irrompeu do monstro; graças à sua roupa felpuda e coberta de areia, saiu ileso. Quando foi à corte do conde exigir sua recompensa, foi capaz de provar que era o assassino do dragão mostrando como o cabo de sua lança encaixava na ponta cravada no cadáver do dragão, e ganhou a mão de Þóra. Um esplêndido banquete foi organizado, e eles se casaram. O casal teve dois filhos bravos e heroicos, mas, depois, Þóra adoeceu e morreu. Ragnarr ficou tão devastado com sua morte que abandonou o reino e zarpou para os mares, atacando e saqueando.

ᛟ UMA NOVA ESPOSA – E UM NOVO CONJUNTO DE FILHOS ᛟ

Antes de seus desastrosos casamentos com outras pessoas (cf. cap. 4), Brynhildr e Sigurðr conseguiram ter uma filha, a pequena Áslaug, ou assim nos conta a "Saga de Ragnarr". Quando Brynhildr partiu para se casar com Gunnarr, ela deixou a filha pequena com o pai adotivo, Heimir. Depois de as notícias dos terríveis eventos na corte de Gjúkung chegarem a Heimir, ele partiu com Áslaug, levando consigo uma boa quantidade de ouro, ambos escondidos no estojo de sua harpa. Ele terminou sendo assassinado por camponeses noruegueses gananciosos, que lhe roubaram o ouro e criaram Áslaug, sujando sua face para ocultar sua beleza e para impedir seus ares de pretensão.

Quando Áslaug cresceu, a tripulação do barco de Ragnarr Calças Felpudas calhou de ancorar próximo dali para se abastecer, e, a despeito do disfarce de Áslaug, eles perceberam quão bonita ela era e relataram a Ragnarr. Ele, prontamente, mandou buscá-la, exigindo a ela que aparecesse diante dele e lhe estabelecendo condições enigmáticas. A inteligente Áslaug viu que essa era sua chance para escapar dos cruéis pais adotivos e, satisfazendo as condições enigmáticas de Ragnarr, chegou ao barco. O rei, prontamente, propôs se casar com ela, e, de fato, honrou sua palavra. Na noite do casamento, Áslaug sugeriu fortemente ao novo esposo que deveriam esperar três noites para consumar o casamento, pois não era auspicioso conceber naquela noite. Mas Ragnarr não levou em consideração o pedido – e, como resultado, o primeiro filho deles, Ívarr, nasceu com cartilagem em vez de ossos. Era incapaz de caminhar ou de lutar, e, assim, ficou conhecido desde então como Ívarr o Sem-ossos. Depois disso, Ragnarr passou a prestar um pouco mais de atenção aos conselhos da esposa, e logo tiveram uma bela safra de filhos.

Contudo, Ragnarr não sabia que a esposa não era realmente a filha dos odiosos camponeses noruegueses. Após um tempo, ele decidiu que poderia ser estratégico se casar com a filha do rei sueco. Foi para Uppsala para cortejar, e o casamento estava prestes a ser marcado quando três pássaros, que haviam ouvido o que estava acontecendo, voaram para a Dinamarca e relataram a duplicidade de Ragnarr à sua esposa – que havia herdado a capacidade do pai de entender a língua dos pássaros. Quando Ragnarr retornou, armando-se de coragem para contar a Áslaug sobre seus planos, ela deixou claro a ele que sabia no que estava metido e que era a filha do herói mais famoso do norte, Sigurðr o Matador de Dragões. Para provar a verdade de suas palavras, o filho que estava carregando nasceria com pupilas de cobra, emblemáticas do maior feito do avô. E, assim, o bebê, chamado Sigurðr Snake-in-the-Eye [Sigurðr Cobra no Olho], veio ao mundo, e não se ouviu mais sobre os planos de Ragnarr de se casar novamente.

O rei da Suécia ficou incomodado, tanto pelo desapontamento de sua filha como pelo fato de os dois filhos mais velhos de Ragnarr e sua primeira esposa, Þóra, irem saquear na Suécia, e capturou e matou ambos. Quando a notícia chegou à Dinamarca, foi Áslaug, a madrasta, quem reuniu os próprios filhos para vingar o assassinato

Fredrik Sander, *Poetic Edda*, 1893 (Estocolmo).
Áslaug, vestida com sua rede de pesca, com seu companheiro canino, pronta para aparecer diante de Ragnarr Calças Felpudas. Mårten Eskil Winge (impressão da pintura de 1862).

O enigma resolvido de Ragnarr

Ragnarr decretou que Áslaug deveria vir até ele "nem vestida nem nua, nem em jejum nem tendo comido, nem só nem com outra pessoa". Como era uma garota inteligente, Áslaug cobriu seu corpo com uma rede de pesca e soltou seus cabelos, lambeu uma cebola, de modo que seu hálito exalasse seu cheiro, e levou consigo o cão da família até o barco. Ragnarr ficou impressionado com sua astúcia e lhe garantiu a conduta segura que ela pediu. Quando o cão mordeu um dos marinheiros, eles o estrangularam com uma corda de arco, uma indicação anterior de que Ragnarr nem sempre manteria suas promessas.

Uma vaca mágica

A arma secreta dos suecos era uma vaca mágica chamada Síbilja, cujo nome significa "Mugidora Eterna". Seu poder mágico era nutrido por sacrifício; quando era enviada à batalha, seu mugido induzia tal pânico no exército inimigo que eles lutavam entre si. Síbilja também atacava os homens com seus chifres. Contraestratégias como fazer ruído suficiente na batalha para abafar o mugido não funcionavam bem, mas, em um clímax triunfante, Ívarr perfurou o olho de Síbilja, e ela caiu de cabeça. Então, Ívarr se catapultou no topo dela, aumentando magicamente seu peso e quebrando suas costas. Em um gesto final, ele arranca sua cabeça. Os suecos, naturalmente, fugiram.

de seus meios-irmãos e quem liderou as forças invasoras marítimas. Ívarr o Sem-ossos foi o principal estrategista da campanha, a despeito de sua deficiência. Carregado em um escudo amparado sobre quatro pontas de lança, ele comandou os guerreiros e obteve a vitória.

Os filhos de Ragnarr foram bem-sucedidos em devastar a Inglaterra, fizeram invasões ao longo da Europa e estavam prontos para atacar Roma, um feito frustrado somente por um sapateiro inteligente que usou seu saco de sapatos destinados ao conserto. "Vejam!", ele disse, esvaziando o saco, "eu gastei todos esses sapatos só para vir de Roma". Essa artimanha folclórica bem conhecida persuadiu os irmãos de que Roma era muito longe para se darem ao trabalho. O próprio Ragnarr empreendeu um último malfadado ataque à Inglaterra, contra a advertência de sua esposa. Ele foi capturado pelo Rei Ella da Northumbria, que o jogou em um ninho de cobras. A despeito da recitação do rei de um longo poema sobre seus muitos feitos, as serpentes, finalmente, atingiram seu coração. As cobras, portanto, o pegaram no fim, ironicamente, recordando sua primeira aventura formidável.

Quando um mensageiro trouxe a notícia da vergonhosa morte de Ragnarr para seus filhos – e sua esposa – nenhum deles pareceu reagir. Mas o filho que jogava damas espremeu uma peça de jogo com tanta força que brotou sangue debaixo de suas unhas; aquele que desbastava o cabo de sua lança cortou um pedaço do dedo; e

Yolanda Perera Sanchez/Alamy.
Ragnarr perece no ninho de cobras do Rei Ella. Uma xilogravura francesa (*c.* 1860).

um outro, que segurava sua lança, deixou a impressão da mão na madeira antes de a lança se partir em duas. A complexão de Ívarr saiu do branco ao vermelho e ao negro em rápida sucessão. O mensageiro relatou isso ao Rei Ella, que sabia que a aparente calma dos irmãos era enganadora. De fato, logo foram atacar a Inglaterra e foram atrás de Ella. No início, foi como se o problema pudesse ser resolvido por compensação; Ella concedeu algumas terras para Ívarr, mas por meio do conhecido truque de cortar uma pele de boi em tiras finas e reivindicar toda terra que pudesse ser circundada por ela, Ívarr tomou território o bastante para fundar Londres. Enfurecido, Ella atacou, foi capturado e a "águia de sangue" (cf. p. 166) foi entalhada em suas costas. Ele morreu em agonia. Ívarr decidiu governar a Inglaterra dali em diante, e deixou o reino da Dinamarca para os irmãos.

A águia de sangue

O rito da águia de sangue é uma punição lendária, infligida a inimigos particulares. Os matadores removem as costelas da espinha e, depois, puxam os pulmões da vítima e os dispõem sobre as costas, de modo a parecerem asas, como um sacrifício a Óðinn. É extremamente improvável que essa punição tenha alguma vez sido realizada; a crença parece se originar da má interpretação de um verso no qual uma águia, como uma besta de batalha, perfura as costas de Ella morto com suas garras enquanto se banqueteia no corpo. Dizem que o poderoso conde de Orkney, Torf-Einarr, matou um filho do Rei Haraldr Cabelos Bonitos desse modo, mas essas são as únicas duas referências na tradição nórdica antiga.

Como Sigurðr, Ragnarr nunca superou sua primeira aventura importante: matar a grande serpente que circundava o quarto de Þóra. Sua duplicidade nas transações com a carismática esposa – matando seu cão, ignorando sua advertência sobre consumar o casamento e, finalmente, planejando se casar com a filha do rei sueco – o tornaram um herói não atrativo. Os filhos de Ragnarr, em contraste, ouvem a sabedoria da mãe e conquistam grandes faixas de território. Em Ívarr temos um novo tipo de herói, que é gravemente incapacitado, mas capaz de liderar um exército. Ele é um estrategista mestre, que usa o cérebro em vez dos músculos.

ᛟ OS HOMENS DE HRAFNISTA ᛟ

Uma linha heroica notável é a de Ketill hængr, cujo apelido significa "salmão". Ketill vivia com seus pais na Ilha de Hrafnista (Ramsta moderna), na Noruega, e foi um menino problemático, outro "mordedor de carvão". Ketill não era útil em casa e discutia muito com seu pai, Hallbjörn Half-troll [Hallbjörn Meio-Troll], mas terminou se saindo bem. Um dia, enquanto perambulava na parte norte da ilha, encontrou um dragão voador, que soltava fogo pela boca e pelos olhos. Ketill estava acostumado a ir pescar nessa parte da ilha

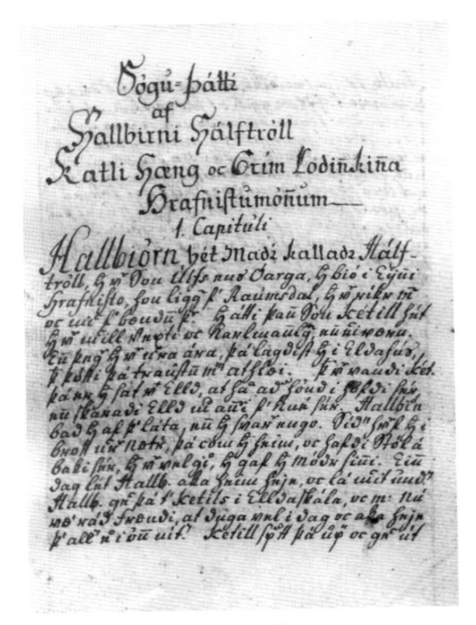
Sögu-þátti
af
Hallbirni Hálftröll
Katli Hæng oc Grím Lodinkinna
Hrafnistumönnum
1. Capituli

Foto: Gilwellian.
Um manuscrito tardio de *Ketils saga hœngs* ("A saga de Ketill").

e pensou que nunca havia visto um peixe como esse antes. Quando o dragão o atacou, Ketill, corajosamente, o cortou ao meio com seu machado, e, depois, contou ao pai que havia matado um salmão muito grande – daí seu nome.

Ketill também liquidou alguns gigantes canibais que estavam atacando o povo de Hrafnista e teve outras aventuras no norte distante. O inverno que passou com um gigante, Brúni, e sua família resultou em um caso amoroso com Hrafnhildr, a filha de Brúni – e em um filho, Grímr Shaggy-cheek [Grímr Bochecha Peluda]. Contudo, Hallbjörn se recusou a aceitar Hrafnhildr como nora, chamando-a de troll (um pouco rude vindo de um homem cujo apelido era "Meio-Troll"), e Hrafnhildr parte de Hrafnista, deixando seu filho para trás. Ketill ganhou algumas flechas mágicas e uma esplêndida espada do mágico Lappish, irmão de Brúni. Ele ficou famoso por matar trolls e por lutar contra *vikings* desonestos, mas nunca se

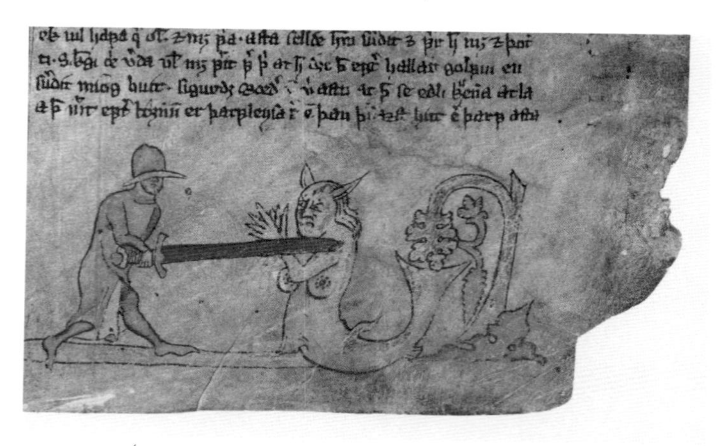

Árni Magnússon Institute for Icelandic Studies, Reykjavik.
Batalha entre um guerreiro e um troll marinho fêmea. Do manuscrito islandês *Flateyjarbók*, do século XIV.

esqueceu de sua amada troll, e, quando se casou com uma esposa humana, deu à filha o nome de Hrafnhildr, em sua memória.

Grímr assumiu o controle de Hrafnista quando o pai morreu. Ele estava pronto para se casar com a filha de um lorde poderoso quando, sete noites antes do casamento, ela desapareceu. Evidências apontam para o envolvimento da madrasta da menina, uma mulher originária do norte e suspeita de ter poderes mágicos. Grímr foi para lá e derrotou vários gigantes e mulheres troll. Severamente ferido, aceitou, com resistência, ajuda de uma mulher troll extremamente feia; seu preço para curá-lo era que ele a beijasse, e, finalmente, deveriam compartilhar uma cama. Grímr consentiu, relutantemente, mas acordou de manhã e descobriu que a horrível mulher troll, agora livre do encantamento, não era senão sua amada Lofthæna, a noiva desaparecida. O casal reunido se casou e teve um filho: Arrow-Oddr [Ponta de Flecha].

Oddr herdou as flechas mágicas do avô e teve uma longa e agitada vida. Em sua juventude, uma profetisa itinerante profetizou que, independentemente de quanto pudesse perambular em seus 300 anos de vida, sua morte seria provocada pela cabeça de seu cavalo, Faxi. Oddr e o irmão de criação levaram o cavalo a um vale deserto, cavaram uma cova profunda e enterraram a criatura viva. Dali em diante, Oddr teve inúmeras aventuras, combatendo *vikings*, ganhando a camisa mágica da invulnerabilidade de uma princesa irlandesa, convertendo-se ao cristianismo e vencendo a grande Batalha de Sámsey contra os doze irmãos berserk, liderados por Angantýr (cf. adiante). Finalmente, Oddr decidiu revisitar os lugares de sua juventude e foi ao monte no qual seu cavalo foi enterrado. No topo, havia uma cabeça de cavalo, ainda coberta com pele. Oddr, certo de que há muito sobrevivera à profecia da vidente, golpeou a cabeça com sua lança, derrubando-a. Debaixo dela havia uma víbora, que atingiu Oddr, cravando as presas em seu pé. A perna de Oddr inchou e ficou toda preta até a coxa, de modo que sabia que seus dias haviam terminado. Seus homens o carregaram até a praia, onde recitaram um longo poema recontando seus vários feitos gloriosos. Então ele morreu, e os homens queimaram seu corpo no navio. Contudo, a linhagem dos homens Hrafnista não terminou aqui, pois Hrafnhildr, a filha de Ketill, foi a ancestral de muitos homens famosos, incluindo alguns colonizadores islandeses que, mais tarde, contariam as histórias de seus ancestrais.

ᛟ OS DOZE IRMÃOS BERSERK EM UMA ILHA ᛟ

O grande feito de Oddr talvez tenha sido a formidável batalha que empreendeu, ao lado de seu grande amigo Hjálmarr, na Ilha de Sámsey (Samsø, entre a Suécia e a Dinamarca). Angantýr e os onze irmãos eram os filhos de um grande chefe tribal, e o segundo filho, Hjörvarðr, tinha tanto orgulho de sua reputação de atacar e saquear que decidiu que se casaria com a filha do rei da Suécia. Todos os irmãos o acompanharam a Uppsala em sua jornada, e Hjörvarðr pediu a mão da princesa em casamento. Mas Hjálmarr o Sábio, que há muito servia o rei sueco, manifestou-se e perguntou se *ele* poderia

British Museum, Londres.
Guerreiros berserkers das peças de xadrez de Lewis, mordendo seus escudos.

Berserkir

Berserkir (berserkers) foram um tipo particular de guerreiros que uivavam e mordiam seus escudos antes da batalha. Podem ter se vestido com peles de urso (daí seu nome, "Camisas de Ursos" – outro termo para eles é úlfheðnar, ou "Peles de Lobos"), mas a palavra *berserkir* pode significar, igualmente, "Sem-Camisas", guerreiros que não usavam armaduras. Na batalha, ficavam frenéticos, golpeando sem se preocupar com sua própria segurança. Foi sugerido que podem ter ingerido algum tipo de alucinógeno para estimular a loucura da batalha. Nas sagas, berserkers formam gangues antissociais, indo de família em família, ameaçando estuprar as mulheres a menos que alguém esteja preparado para encontrar seu líder em um combate individual. Em uma saga, o herói elimina um berserk, que está mordendo seu escudo antes da luta, empurrando astutamente o escudo para cima e, assim, arrancando o maxilar de seu inimigo!

---

se casar com a bela princesa Ingibjörg. O rei pediu a Ingibjörg que escolhesse o pretendente que preferia, e ela se manifestou a favor de Hjálmarr, um homem de boa reputação, contra o pirático Hjörvarðr e seus irmãos *berserkir*. Hjörvarðr prontamente desafiou Hjálmarr para uma batalha; o vitorioso se casaria com Ingibjörg.

Os irmãos foram a Sámsey, onde Hjálmarr e o amigo Arrow--Oddr lhes esperavam. Angantýr havia tido um sonho premonitório sobre a batalha, mas seu pai havia fortalecido sua coragem dando-lhe uma espada mágica, Tyrfingr, forjada por anões, e garantia a vitória. Hjálmarr ficou soturno quando viu os irmãos desembarcando na ilha e profetizou que todos seriam convidados de Óðinn no Valhöll ao anoitecer. Oddr se uniu ao amigo, e a batalha foi iniciada.

O frenesi berserk sobreveio aos irmãos; eles uivavam e mordiam seus escudos. Hjálmarr decidiu enfrentar Angantýr e sua espada mágica, que brilha como um raio de sol, enquanto Oddr, vestindo a camisa encantada que a princesa irlandesa tecera para ele, combatia o resto.

Oddr matou todos os onze irmãos, mas, quando se juntou novamente a Hjálmarr, viu que, embora seu amigo tenha matado de fato Angantýr, sofrera dezesseis ferimentos e estava morrendo. Hjálmarr, que possuía cinco propriedades em sua terra natal, a Suécia, lamentava o destino de agora estar morrendo em Sámsey. Nunca mais ouviria o belo canto das mulheres de Uppsala, nem seguraria Ingibjörg em seus braços. Ele deu a Oddr um anel para levar à princesa, pedindo-lhe que lhe dissesse quão heroicamente havia caído. Em seu último verso, Hjálmarr enfrentou o destino:

Um corvo voa da alta árvore;
a águia junto voa em sua companhia;
dei à águia sua última refeição,
ela agora provará meu sangue.

"O CANTO DA MORTE DE HJÁLMARR", V. 10.

Assim, morreu Hjálmarr; Oddr levou as notícias – e o cadáver de Hjálmarr – de volta à Suécia, onde Ingibjörg também morreu de tristeza. Angantýr e os irmãos foram todos enterrados em montes sepulcrais em Sámsey – junto à sua valiosa espada, Tyrfingr.

ᛟ HERVÖR RECUPERA A ESPADA ᛟ

Angatýr havia deixado uma filha, nascida postumamente, chamada Hervör. Ela cresceu e se tornou uma menina corajosa e brava, recusando-se a costurar ou tecer, pois preferia brincar com a espada e atirar lanças. Seu avô tentou discipliná-la, mas, sempre que era repreendida, corria para a floresta e emboscava homens para roubar seu dinheiro. Após alguns escravos a insultarem, dizendo que seu pai era um homem inferior, Hervör soube através de sua mãe a verdade sobre a identidade do pai. Ela abandonou a vestimenta feminina, juntou-se à tripulação *viking* e zarpou em direção a Sámsey.

A despeito das advertências de que a ilha é um lugar estranho, Hervör desembarca sozinha e vai até os montes sepulcrais. Lá, ela invoca o pai e os tios pelo nome, exigindo que Angantýr entregue a famosa espada. Os montes sepulcrais, com labaredas assustadoras diante deles, escancaram-se, e os homens mortos se colocam em suas portas. Angantýr, no início, nega que tenha a espada, depois adverte que uma maldição repousa sobre ela – os descendentes de Hervör se matarão com a espada – mas, finalmente, de maneira relutante, a entrega, observando:

Jovem menina, eu declaro que não és como muitos homens,
andando por montes de noite,
com uma lança entalhada e em metal dos godos [armadura],
um elmo e um corselete diante das portas do salão.

"O DESPERTAR DE ANGANTÝR", V. 21.

E, sem dúvida, Hervör não é como muitos homens, nem como muitas mulheres também. Tomando a espada das mãos do homem morto, ela retorna triunfante ao seu barco, onde, por um bom tempo, continua a carreira como *viking*, invadindo várias áreas em tonro do Mar Báltico. Hervör termina se casando e tem dois filhos, um chamado Angantýr, em homenagem ao pai, e o outro, Heiðrekr. Heiðrekr mata o irmão em um tipo de acidente e é exilado; a mãe dá Tyrfingr de presente para ele.

Heiðrekr é astuto e rápido para vencer seus inimigos pela astúcia, embora faça tanto mal quanto bem. Ele se casa com a filha do imperador de Constantinopla, com a qual tem uma filha, também chamada Hervör. O Rei Heiðrekr tem um inimigo, um homem sábio chamado Gestumblindi, e o rei o convoca à sua corte. Gestumblindi teme que o rei queira prejudicá-lo e, assim, fica muito aliviado quando um homem misterioso chega em sua casa e se oferece para ir ao rei em seu lugar. O falso Gestumblindi se envolve em uma competição de enigmas com Heiðrekr e, finalmente, confunde o rei, fazendo a pergunta fatal: "O que Óðinn sussurrou no ouvido de Baldr enquanto estava na pira funerária?" Heiðrekr, apercebendo-se de que o oponente não pode ser outro senão o próprio deus, puxa Tyrfingr e

Os enigmas de Gestumblindi

Os enigmas do falso Gestumblindi são muito misturados. Alguns são tradicionais: "O que bebi ontem que não era água nem vinho nem cerveja nem qualquer tipo de comida?" (A resposta é o sereno da manhã.) Outro é: "Qual é a criatura que tem oito patas, quatro olhos e os joelhos acima da barriga?" (A resposta – é claro – é uma aranha.) Alguns são muito obscuros; a resposta para um é: "um cavalo morto em uma banquisa descendo um rio, com uma serpente no cadáver" – difícil de decifrar. Tolkien tirou dessa saga sua inspiração da competição de enigmas de Bilbo com Gollum em *O Hobbit*, embora a pergunta irrespondível de Bilbo – "O que eu tenho no meu bolso?" – seja diferente da pergunta cósmica sobre Baldr com a qual Óðinn conclui a competição.

investe contra ele. Mas Óðinn se transforma em um falcão, encontrando tempo apenas para amaldiçoar Heiðrekr, que encontraria a morte nas mãos do "pior dos escravos". Tyrfingr corta as penas da cauda do falcão (razão pela qual falcões têm a cauda curta), mas o deus consegue escapar. E, sem dúvida, logo depois, Heiðrekr é assassinado sem honra em sua cama por um grupo de escravos aristocratas que havia capturado e escravizado durante suas expedições nas Ilhas Britânicas. O resto da saga relata o papel contínuo de Tyrfingr no destino da dinastia e incorpora a famosa batalha dos godos e hunos, na qual os dois filhos de Heiðrekr terminam lutando em lados opostos. Um, de fato, mata o outro com a espada amaldiçoada.

ᛟ O ETERNO CONFLITO EM ORKNEY ᛟ

No capítulo 2, vimos que Freyja provocou a Hjaðningavíg, a interminável batalha que durará até o *ragnarök*. Foi assim que essa batalha surgiu. Certo dia, Heðinn, o príncipe de Sarkland, encontrou uma mulher em uma clareira da floresta. Ela se chamava Göndul (um nome de valquíria muito conhecido). Göndul encorajou Heðinn a visitar o Rei Högni e experimentar suas habilidades contra ele, para ver quem era o mais forte. Högni ficou feliz em participar da competição, envolvendo natação, tiro, luta e cavalgada, e os dois homens tiveram um desempenho tão nivelado que fizeram juramentos de irmandade um ao outro. Heðinn ainda era jovem; Högni era um pouco mais velho e tinha uma filha chamada Hildr. Göndul apareceu para Heðinn novamente, concedendo que os dois homens eram iguais, exceto que Högni tinha uma rainha esplêndida, e Heðinn, nenhuma. Para a resposta de Heðinn de que ele poderia se casar com Hildr se a pedisse, Göndul argumentou que faria melhor, raptando-a e matando sua mãe. Assim, Högni não teria rainha alguma, enquanto Heðinn teria mostrado sua coragem tomando Hildr pela força. Esquecendo-se dos juramentos feitos, Heðinn agiu de acordo com esse plano. Ao voltar para casa, Högni encontrou a esposa morta, e a filha havia sido raptada, então partiu em busca de Heðinn

Foto: Berig.
Cena talvez representando a Hjaðningavíg. Uma força de ataque marítima encontra uma força terrestre, enquanto uma figura feminina se coloca entre elas. Imagem gravada em pedra de Lärbro Stora Hammars I, Gotlândia.

na Ilha de Hoy, em Orkney. Nenhuma mediação era possível, dada a extensão do crime de Heðinn, e, assim, os dois lados começaram a lutar. A cada noite, Hildr revivia o massacre, e, a cada dia, a batalha iniciava, seguindo assim até o *ragnarök*.

Göndul, o encrenqueiro sobrenatural, é, provavelmente, uma forma de Freyja; em um poema, é dito que ela possui metade dos mortos, e, na versão final da história, ela é forçada a começar o conflito a fim de recuperar o colar *Brisinga men* de Óðinn. Em outras versões, Hildr é uma valquíria, e não há necessidade de Göndul incitar Heðinn à traição. No que provavelmente é a versão mais antiga, Hildr está pronta para mediar entre o pai e o amante, mas Högni tem uma daquelas espadas problemáticas (provavelmente também forjada por anões, a julgar pelo nome, *Dáinsleif*, "relíquia da família de Dáinn"), que, uma vez desembainhada, deve sempre matar: assim, a batalha não poderia ser evitada. Hildr amava tanto os dois homens que não poderia tolerar que um matasse o outro, por isso, ela, constantemente, os trazia de volta à vida, para retomarem o conflito eterno.

Diferentemente dos Völsungs, com sua obsessão por tesouros e vingança, esses heróis buscam glória por meio de viagem e conquista de territórios, serviço leal a um senhor e, muito frequentemente, com inteligência e estratégia. E, claramente, como seu pai observa, a garota *viking* Hervör não é como muitas outras mulheres, nem homens, em sua coragem de reivindicar seu patrimônio aos mortos. Contudo, todos os heróis cujas histórias foram recontadas nos últimos dois capítulos estavam seguros quanto a encontrar seu caminho para o Valhöll após a morte, de se juntarem aos *Einherjar*, os mortos heroicos que combaterão ao lado dos deuses no *ragnarök*. Na verdade, a Hjaðningavíg parece iniciar exatamente para esses propósitos de recrutamento, embora seja confundida pela capacidade de Hildr de regenerar os mortos. No capítulo final, veremos como o *ragnarök* surge – e o que se segue.

6

FIM DOS TEMPOS — E RENOVAÇÃO

ᛟ A BUSCA DE ÓÐINN POR SABEDORIA ᛟ

Como sabemos, Óðinn sacrificou seu olho no Poço de Mímir a fim de obter conhecimento sobre o futuro. Todavia, ele ainda busca, obsessivamente, aqueles que poderiam ser capazes de lhe dizer mais. "A profecia da vidente" narra a resposta de uma profetisa ao ser questionada por Óðinn sobre o passado e o futuro. Grande parte do que se segue neste capítulo é extraída de sua descrição. Mas Óðinn também visita o gigante Vafþrúðnir; a despeito da advertência de Frigg contra a aventura, Óðinn parte corajosamente e entra no salão do gigante:

Saudações, Vafþrúðnir! Agora que entrei no salão
para ver você em pessoa;
isso desejo saber primeiro, se você é sábio
ou muito sábio, gigante!
"Ditos de Vafþrúðnir", v. 6.

Vafþrúðnir faz jus ao desafio, reconhecendo o convite para participar em uma competição de sabedoria, e estabelece a competição: "devemos apostar nossas cabeças no salão, / convidado, em nossa sabedoria" (v. 19). Deus e gigante trocaram conhecimentos arcanos sobre o passado distante, sobre a história dos deuses e sobre o futuro: os eventos do *ragnarök*. Competições de sabedoria são tarefas complexas, pois a ideia é tanto flagrar os oponentes quanto aprender com eles, e ambos os competidores devem saber o bastante para dissentir se a outra parte está mentindo. No final dessa competição, Óðinn parece ter ouvido o bastante sobre o *ragnarök* e o que vem depois dele, e conclui com sua pergunta irrespondível favorita:

Muito viajei, muito experienciei,
muito testei as Potências;
o que Óðinn diz no ouvido de seu filho
antes de preparar a pira?
"Ditos de Vafþrúðnir", v. 54.

E, com essa pergunta, Vafþrúðnir sabe que o jogo terminou, pois somente Óðinn pode saber a resposta. O poema termina com essa admissão; presumimos que Vafþrúðnir deve entregar sua cabeça, no entanto, se Óðinn a pega, é outra questão.

Por que Óðinn embarca nessa busca por sabedoria, arriscando seu próprio pescoço para verificar as informações que possui? Uma razão provável é a necessidade compulsiva de checar – e checar novamente – se o destino é realmente inelutável. Há alguma possibilidade de um dos vários entes sábios do universo conhecer uma narrativa diferente sobre o futuro? Óðinn deve encontrar o lobo e ser devorado por ele? O mundo deve mergulhar, afundar nas chamas, antes de desaparecer no mar? Como sabemos, e como o deus repetidamente ouve daqueles que questiona, o *ragnarök* um dia, de fato, ocorrerá. Os sinais da destruição do mundo já estão começando a se manifestar, pois a astuta pergunta de Óðinn mostra que um dos presságios do fim já ocorreu; Baldr, o melhor e mais brilhante dos deuses, está morto.

ᛟ A MORTE DE BALDR ᛟ

Até aqui, não falamos muito sobre Baldr, e isso é principalmente porque pouco mais é narrado sobre ele além dos eventos que cercam sua morte. Snorri nos garante que Baldr é radiantemente bonito (tanto que uma flor, *baldrsbrá*, um tipo de camomila, é nomeada em homenagem às suas sobrancelhas). Astuto, sábio, gentil, casado com Nanna, Baldr é amado por todos.

Um dia, contudo, ele começa a ter sonhos ominosos, e, após sua consulta usual, os deuses resolvem pedir a cada coisa criada para fazer um juramento de não fazer mal a ele. Em um poema, *Baldrs Draumar* ("Os sonhos de Baldr"), o próprio Óðinn, como um pai ansioso, sela seu cavalo Sleipnir e parte para o reino de Hel para descobrir a verdade sobre o assunto. Mas, na fronteira do reino de Hel, ele encontra um cãozinho manchado de sangue (talvez, um filhote de cão do inferno) e, em vez de seguir adiante para o salão de Hel, decide acordar uma profetisa morta cujo túmulo se

Olive Bray, *Sæmund's Edda*, 1908 (The Viking Club).
Óðinn cavalga Sleipnir para visitar Hel, passa por um cãozinho manchado de sangue. W.G. Collingwood (1908).

encontra próximo. Como em seus outros diálogos com o sábio, Óðinn esconde sua identidade. A profetisa, incomodada, confirma os medos de seu questionador:

Para quem estão as cadeiras ornadas com braceletes,
a plataforma tão lindamente decorada em ouro? [...]

Aqui está o hidromel, preparado para Baldr,
um licor claro; um escudo acima suspenso,
os Æsir estão em terrível antecipação.
Relutantemente, contei-lhe; agora, ficarei silente.
"Os sonhos de Baldr", v. 6-7.

A profetisa dá mais detalhes a Óðinn até ele terminar a conversação fazendo outra pergunta misteriosa – aparentemente, um enigma sobre ondas. Isso é o bastante para revelar sua identidade, e a profetisa se recusa a prosseguir a conversa.

Portanto, parece que Baldr estava condenado. Na descrição de Snorri, é Frigg, a mãe enérgica do deus, quem percorre o caminho da criação, exigindo que tudo jurasse se recusar a fazer mal a seu filho. "Fogo e água, ferro e todos os tipos de metal, pedras, terra, madeira, doença, animais, pássaros, veneno, serpentes" – todos juraram não lhe fazer mal algum. O que, então, levou o deus à morte? Frigg não havia se importado com o inferior visgo, que lhe parecia muito jovem e tenro, e deixou escapar essa informação a uma mulher inquisitiva que a visitou em seu salão, Fensalir. Esse foi seu erro, pois a mulher era Loki disfarçado, e ele fez bom uso dessa informação.

Enquanto isso, os deuses estavam se distraindo vigorosamente em seu lugar de encontro. Baldr está no meio, e os outros atiram projéteis nele. Todas as armas ricocheteavam inofensivamente nele – uma tentação à complacência, talvez. Afastado do grupo, Höðr, irmão de Baldr, que é cego, e que não pode participar do jogo, está triste. Mas, aqui, sussurra uma voz amigável ao seu ouvido, perguntando se deseja tentar; um dardo fino chega sutilmente à sua mão, e a pessoa que lhe fala guia sua mão ao objetivo, de modo que não erre (cf. p. 40). Baldr cai; um grande lamento irrompe de todos os deuses, e Loki se esquiva no burburinho. O dardo de visgo derrubara o melhor dos deuses. Óðinn fica duplamente triste; não apenas seu filho está morto, mas sabe que essa morte é um claro presságio do *ragnarök*.

Frigg promete todo seu apoio a quem quer que cavalgue até Hel para negociar o retorno de Baldr, e um homem chamado Hermóðr monta em Sleipnir e parte. O funeral de Baldr é preparado; seu corpo é levado até a praia e colocado em seu navio. Mas o navio só deslizará pelos roletes até o mar quando uma giganta chamada Hyrrokin aparecer, montada em um lobo com serpentes como rédeas. Hyrrokin lança o navio com um único empurrão tão forte que fagulhas voam e todas as terras tremem; a despeito desse serviço, ela escapa por pouco de ser impedida por Þórr. Nisso, Nanna morre de tristeza, e seu corpo é colocado ao lado do corpo de Baldr na pira. As chamas engolem os dois corpos, testemunhadas por todos os tipos de entes que se reuniram para honrar Baldr. Um desafortunado anão, Laitr,

Det Kongelige Danske Kunstakademi, Copenhague.
A morte de Baldr. Christoffer William Eckersberg (1817).

Navios fúnebres *vikings*

Homens e mulheres bem-nascidos, muitas vezes, eram queimados em barcos na Era *Viking*, simbolizando, talvez, a jornada que os mortos tinham de fazer ao Outro Mundo. O barco Oseberg, descrito na Introdução, é o único achado arqueológico desse tipo. Na Grã-Bretanha, o rei anglo-saxão do século VII, enterrado em Sutton Hoo, também foi enterrado em um barco (embora nada tenha sobrevivido deste senão seus cravos), mostrando que esse não era um costume exclusivamente da Era *Viking*. No século IX, um viajante árabe, Ibn Fadlan, encontrou alguns guerreiros rus *vikings* no Volga. O chefe tribal deles havia morrido há pouco, e Ibn Fadlan faz uma descrição detalhada dos ritos funerais. Não há espaço para descrevê-los inteiramente aqui, mas, na culminância da cerimônia, o barco do chefe tribal, no qual se encontrava seu corpo, foi incendiado com uma tocha flamejante, carregada pelo parente próximo do homem morto. Ele circula o barco completamente nu e caminha para trás, cobrindo seu ânus com uma mão. E, diz Ibn Fadlan, tanta madeira foi empilhada em torno do barco e um vento tão forte soprou que, em uma hora, barco, chefe tribal e tudo mais viraram cinzas.

Manchester Art Gallery/Bridgeman Images.
Um navio fúnebre *viking* é incendiado e empurrado para o mar. Frank Dicksee (1893).

termina embaixo dos pés de Þórr enquanto caminha para consagrar a pira e é imediatamente chutado na direção dela.

Hermóðr, bravamente, desce até Hel e encontra seu governante não inteiramente insensível ao pedido do deus. Baldr e Nanna já estavam presentes no salão; Baldr sentado no trono elevado, obviamente. Hel estipulou que Baldr poderia retornar ao mundo dos vivos se todas as coisas vivas lamentassem por ele, e Hermóðr voltou com a notícia. Os Æsir, rapidamente, se mobilizaram para ouvir as condições de Hel, e foram enviados mensageiros ao redor do mundo. Eles foram muito bem-sucedidos, persuadindo tudo a chorar por Baldr – mesmo metais (a origem da condensação, como Snorri nos conta).

O estupro de Rindr

Óðinn sabe que o vingador de Baldr deve nascer de Rindr, uma princesa humana. Engravidá-la não é uma tarefa inteiramente simples. Rindr resiste aos avanços do deus velho e feio; embora ele se insinue na casa de seu pai, onde opera como um general bem-sucedido, sua primeira tentativa de ganhar um beijo só lhe rendeu um tapa na cara. Em seguida, ele se torna um trabalhador de metais e traz para Rindr braceletes muito bem-feitos; isso não é mais efetivo e outro tapa segue. Finalmente, ele a encanta, usando runas para deixá-la louca. Então, disfarçando-se de mulher, Óðinn finge ser uma curandeira. Ele prescreve uma bebida horrivelmente amarga, tão ruim que Rindr tem de ser amarrada à cama para que não se recuse a engoli-la. E, ao ficar sozinha com a paciente, a aparente curandeira estupra a infeliz garota. Os outros deuses, como nos conta essa história (relatada por Saxo Grammaticus), ficaram tão horrorizados com esse comportamento que Óðinn foi enviado ao exílio. Rindr, contudo, engravidou e deu à luz Váli.

Mas, em uma caverna, eles encontraram uma giganta chamada, ironicamente, Þökk (Obrigado). Quando lhe pediram para chorar por Baldr, ela respondeu:

Þökk chorará
lágrimas secas
pelo funeral de Baldr.
Nem vivo nem morto
Não me alegro com o filho de homem algum:
deixe que Hel fique com o que tem.
"O ENGANO DE GYLFI", CAP. 49.

E suspeita-se fortemente que essa giganta não fosse outro que não Loki.

O resultado da morte de Baldr foi duplo. Óðinn havia ouvido da profetisa morta que somente um homem poderia vingar Baldr, e que ele ainda não havia nascido.

O pequeno Váli era, de fato, prodigioso; como Helgi, com uma noite de vida, já estava pronto para lutar, diz "A profecia da vidente":

Ele nunca lavou suas mãos
nem penteou seu cabelo
até levar o adversário de Baldr
à pira funerária.
"A PROFECIA DA VIDENTE", V. 33.

Mas é o pobre irmão cego, Höðr, "o assassino executor" – Loki, "o assassino mentor", aquele por trás do assassinato –, quem Váli mata. Pois o destino de Loki é escrito de forma diferente.

Por que Baldr deve morrer? Ele foi, muitas vezes, comparado com outros deuses que pereceram por meio de algum acidente horrível ou de alguma conspiração. Figuras do Oriente Próximo antigo, como o egípcio Osíris, ou Attis, o amado de Cybele, também morrem; o contexto de seus mitos sugere que isso ocorre em um ciclo sazonal e que a ressurreição vem com a primavera. Ísis é bem-sucedida em ressuscitar Osíris, seu irmão/amante, quando o Nilo sobe a cada ano para fertilizar a terra, e Attis também é anualmente ressuscitado. Mas a ressurreição de Baldr (ao menos por agora) fracassa. Portanto, uma dimensão de fertilidade ao mito parece improvável.

Baldr pode ser um sacrifício; certamente, ser alvejado por um projétil é congruente com um sacrifício a Óðinn. Todavia, nenhum benefício parece resultar da morte de Baldr; se ele é um sacrifício, parece um sacrifício inútil (diferentemente do autossacrifício de Óðinn para obter o segredo das runas). O mito fala sobre o horror do conflito nos grupos de parentesco; a vingança não pode ser obtida pela morte do perpetrador, pois a vingança de Váli em Höðr simplesmente elimina outro dos filhos de Óðinn. Quem deveria se vingar por Höðr? A esse respeito, Óðinn é afortunado, na medida em que pode ter outros filhos, substituindo os que morrem. Mas, como o mito reconhece, filhos não são *tão* intercambiáveis; Váli não pode, verdadeiramente, tomar o lugar de Baldr.

ᛟ O ACORRENTAMENTO DE LOKI ᛟ

Snorri segue sua descrição do fracasso em retirar Baldr de Hel pelo lamento com a rápida busca, a captura e o acorrentamento de Loki. Na tradição poética, o acorrentamento de Loki é resultado de sua ruptura final com os companheiros deuses. Lembra-se do banquete no salão dos Ægir – aquele que exigiu o caldeirão extremamente grande de Hymir? Todos os deuses e as deusas estavam lá, exceto Þórr, que estava fora, como de costume, martelando gigantes no leste, e Loki, que era *persona non grata*. Todavia, ele se apresenta calmamente no salão e exige que lhe designem uma cadeira e lhe deem uma bebida. Bragi, o deus da poesia, está pronto para recusá-lo, mas, quando Loki invoca a relação de irmandade de sangue entre ele e Óðinn e recorda o deus de que haviam jurado nunca beber, a menos que também oferecessem uma bebida a Loki, Óðinn decreta que o "Pai do Lobo" deve ser aceito.

No poema "A querela de Loki", que relata essa história, Loki, agora, procede, sistematicamente, insultando cada um dos deuses. O padrão é muito uniforme; Loki insulta o deus A, o deus A reage, Loki responde, e o deus B fala em defesa do deus A, atraindo para si os opróbrios de Loki. Os deuses são sujeitos a uma série de calúnias: Óðinn praticava *seiðr* (cf. cap. 2) e é um quebrador de promessas; outros deuses são covardes ou foram desonrados de algum modo. Njörðr é acusado de deixar as filhas de Hymir (gigantas, aqui, provavelmente, simbolizando rios) urinarem em sua boca, como os rios correm para o mar, e de ter tido filhos com a irmã. As deusas são acusadas de promiscuidade sexual, muitas vezes tendo tido sexo com o próprio Loki, ou, como Skaði, são lembradas do papel de Loki na morte de sua família. Frigg é atormentada com a perda de Baldr, e Freyja, por ter dormido com todos os homens no salão – incluindo o irmão. Mesmo Sif, esposa de Þórr, é acusada de ter dormido com Loki, e nos perguntamos *como*, exatamente, Loki foi capaz de roubar o maravilhoso cabelo dourado de Sif. Finalmente, Þórr chega com seu habitual rugido e ameaça pôr um fim nos insultos de Loki – a

Foto: Gerry Millar.
Um Loki estranhamente com chifres, amarrado após ser capturado por Þórr, na pedra de Kirkby Stephen do século VIII, Cúmbria.

despeito de algumas observações reveladoras sobre o comportamento de Þórr na aventura Skrýmir (cf. cap. 3). E, então, Loki parte:

mas somente por vocês sairei
pois sei que vocês atacam.
"A QUERELA DE LOKI", V. 64, LL. 4-6.

Esse pode ser um comentário sobre o mestre de obras e a quebra de promessas que estabeleceu os novos muros de Ásgarðr; talvez seja um reconhecimento arrependido dos riscos envolvidos em perturbar Þórr. Até onde podemos dizer, a partir de outras fontes, grande parte do que Loki diz é verdade, embora dê um aspecto desonroso ao sacrifício da mão de Týr, e à disposição de Freyr em dar sua palavra a Skírnir a fim de conquistar Gerðr. "A querela de Loki" é um poema muito engraçado, mas seu humor está carregado de horror, tanto do despudor de Loki como das revelações sobre os deuses. O poema é uma crítica séria às deidades pagãs – talvez composto por um cristão que quisesse revelá-las como hipócritas e covardes? Ou o poema é o trabalho de alguém que estava seguro de sua crença, que desejava mostrar que os deuses são, na verdade, diferentes de nós – e que a realização de suas funções divinas não pode ser compreendida a partir de estruturas éticas humanas? Muito provavelmente, "A querela de Loki" foi compreendida de modos diferentes em diferentes tempos de sua existência; muita coisa depende da nuança conferida pelos intérpretes. Mas não é difícil sentir, ao final dele, que talvez o mundo seja melhor sem essa gentalha.

Loki fez bem em escapar dos deuses furiosos, transformando-se em um salmão e se escondendo em uma cascata. A descrição de Snorri para a captura acrescenta detalhes a isso. Loki construiu para si uma casa nas montanhas perto da cascata e se escondia debaixo d'água durante o dia. Numa noite, começou a especular sobre como os Æsir poderiam pegá-lo em sua forma de peixe. Pegando um fio de linho, fez um protótipo de rede de pesca. Então, apercebendo-se de que Óðinn o havia localizado a partir do Hliðskjálf, seu trono elevado, e de que os deuses estavam se dirigindo ao seu esconderijo, ele, rapidamente, jogou a rede no fogo e mergulhou n'água. O mais sábio dos deuses (chamado aqui Kvasir, aquele cujo sangue deu origem ao hidromel da poesia) viu o padrão da rede feito nas cinzas e deduziu qual seria o propósito. Os deuses, rapidamente, replicaram o artefato; ainda que Loki-salmão pulasse sobre ele, terminou sendo capturado em meio a um salto por Þórr, que havia pulado no meio do rio. Embora Loki atenha resvalado das mãos de Þórr, sua cauda ficou presa no punho do deus; isso explica por que o salmão se estreita na direção da cauda e por que pulam da água quando se dirigem corrente acima.

Loki agora se vê em perigo; não se rendeu aos deuses sob condições pré-arranjadas, mas é cativo deles. Os deuses pegam três grandes pedras planas, colocam-nas de pé e fazem um buraco em cada uma. Os filhos de Loki são capturados e transformados em lobos; Nari despedaça o irmão, e os deuses usam as vísceras de Narfi para amarrar seu pai à rocha. As vísceras se transformam, magicamente,

Nationalmuseum, Estocolmo.
A esposa de Loki, Sigyn, segura o pote para capturar o veneno pingando da serpente que Skaði pendurou. Mårten Eskil Winge (1890).

em correntes de ferro; como um toque final, Skaði pendura uma serpente venenosa sobre a face de Loki, com seu veneno pingando de suas presas. E Sigyn, esposa de Loki, agora fica perto do esposo, segurando uma vasilha para apanhar o veneno. De vez em quando ela tem de se virar para esvaziá-la, e, quando o veneno cai na face de Loki, ele se contorce horrivelmente nas correntes – a causa dos terremotos.

O rompimento final de Loki com os Æsir levanta algumas questões interessantes. Seu modo usual de operação era uma figura muito ambivalente, inconsistentemente se aliando aos gigantes, mas também ajudando os deuses a recuperarem itens roubados, e tem um papel particular como assistente de Þórr. Por que isso agora? Uma sugestão vincula o comportamento de Loki às várias profecias concernentes ao *ragnarök*. Assim como Fenrir deve primeiro ser acorrentado para quebrar seus grilhões e atacar os deuses naquele dia final, Loki também deve estar confinado para que possa romper as correntes para liderar os gigantes contra seus ex-companheiros. E, assim, deve provocar os deuses para que o acorrentem, por meio das duas ofensas: a morte de Baldr e a brava exibição de insultos em "A querela de Loki". Se a morte de Baldr é um prenúncio do *ragnarök*, então Baldr deve morrer, e Loki deve ser acorrentado. Isso assume uma coerência cronológica com as histórias sobreviventes do que deve ter sido um grande *corpus* de vários mitos se originando em diferentes partes do mundo falante do nórdico. Mas, mesmo que seja difícil de acreditar na ideia de que Loki possui um plano mestre, há, certamente, um forte sentido de que o destino dos deuses já está determinado, que, a despeito dos esforços de Óðinn para ver se o futuro profetizado pode ser falseado ou impedido, o final já está escrito. Sugestivo também, como observamos anteriormente, é o fato de que Snorri conhece um dos filhos de Loki (o lobo que matou o irmão) como Váli, compartilhando o nome do filho recém-nascido de Óðinn, que mata seu meio-irmão Höðr para vingar seu outro meio-irmão Baldr. Temas de fratricídio, vingança, daquelas bestas apocalípticas, lobos e serpentes, atravessam essas duas histórias de um modo que destaca o vínculo fundamental entre os dois deuses, Óðinn e Loki.

ᛟ SINAIS DOS ÚLTIMOS TEMPOS ᛟ

Primeiro, chega o Grande Inverno, o *fimbulvetr*. Três invernos se emendam um no outro, sem verões entre eles; a neve chega de todas as direções com ventos cortantes e geada acentuada. A perturbação social se segue:

> *Irmão lutará contra irmão e será seu assassino,*
> *os filhos das irmãs violarão o vínculo de parentesco;*
> *a dificuldade grassa o mundo, abominações abundam,*
> *tempo de machados, tempo de espadas, escudos se fendem,*
> *tempo de ventos, tempo de lobos, antes de o mundo afundar;*
> *nenhum homem poupará o outro.*
>
> "A PROFECIA DA VIDENTE", V. 45.

Punindo pecadores – Um conceito cristão?

Próximo de um lugar chamado Costa dos Cadáveres, a profetisa vê um rio turvo e turbulento onde aqueles que fazem falsos juramentos, assassinos e sedutores das esposas de outros homens estão se debatendo. Outro rio corre do leste, chamado Amedrontado (*Fearful*); está cheio de machados e facas. Que existam punições na Outra Vida para os pecadores humanos não é uma ideia encontrada em outra parte na mitologia nórdica; a inclusão desses tormentos sugere influência cristã. Considerando que essa versão do poema no Codex Regius possa ter sido composta em torno da época em que a Noruega estava se convertendo ao cristianismo (1000 EC), isso não é impossível.

O mundo se dirige ao caos. Antes que a humanidade caia na guerra civil, as profetisas conjuram outras indicações do fim dos tempos.

No fundo do Bosque da Forca, um galo com plumagem vermelho-escura canta. Outro é ouvido no Bosque de Ferro, onde uma mulher troll está alimentando a prole de Fenrir: os lobos que perseguem o sol e a lua. O entorno sonoro misteriosamente discordante do fim é pontuado pelo uivo do grande cão Garmr (talvez, um duplo de Fenrir, ou uma besta monstruosa muito independente, um tipo de cão do inferno ou Hel-hound). Agora, vem o terrível momento em que ambos os corpos celestes são engolidos pelas imensas mandíbulas das bestas que, por tanto tempo, os perseguiram e o mundo é mergulhado nas trevas.

Agora, Yggdrasill pega fogo. O grande freixo balança, e Heimdallr soa o alarme soprando sua poderosa trombeta Gjallar. Óðinn faz um conselho de emergência com a cabeça de Mímir, mas é muito tarde para esperar orientação dessa fonte. As montanhas tremem, levando os anões para fora, onde ficam reclamando diante de suas portas de pedra. Mulheres troll perambulam pelas estradas; humanos não sabem o que fazer. Os *Einherjar* cavalgam para enfrentar a batalha pela qual vêm treinando durante todos esses milênios, mas – ou assim Fáfnir, o

O grande lobo

Há uma descrição aterradora do grande lobo Managarm (Gamr, ou Cão da Lua) no romance de 1960 de Alan Garner, *The Weirdstone of Brisingamen* [*A pedra encantada de Brisingamen*]. Garner faz bastante uso da mitologia nórdica antiga no romance; em sua culminação, uma magia negra e terrível é desencadeada:

> Do norte vinha uma nuvem, mais baixa do que qualquer que tivesse escondido o sol e negra. Monstruosa ela era, e na forma de um lobo voraz. Suas ancas caíam abaixo do horizonte, e seu corpo magro se arqueava pelo céu até ombros combalidos, e uma cabeça com mandíbulas escancaradas que mesmo agora iam além do fim do vale... O céu inteiro até o norte e o leste era a cabeça do lobo. A boca se abria ainda mais, até não restar coisa alguma para ver senão a garganta negra e cavernosa, aproximando-se para engolir a montanha e o vale inteiros (GARNER, A. *The Weirdstone of Brisingamen*. Londres, 2010, p. 283).

Felizmente, a magia do Weirdstone dissipa o horror, e o mundo é salvo.

dragão, profetizou a Sigurðr em seus momentos finais –, enquanto eles e os deuses se deslocavam de Óskópnir (Ainda Não Feito), a ilha onde a batalha final ocorre, a ponte de arco-íris Bifröst se parte e seus cavalos afundam no rio. A vitória lhes é arrancada.

Olive Bray, *Sæmund's Edda*, 1908 (The Viking Club).
Os deuses se preparam para o *ragnarök*. Desenhado por W.G. Collingwood (1908) ao estilo de uma escultura da Era *Viking*.

As forças do terror são libertadas de cada um dos pontos cardeais. Do sul chega o gigante de fogo Surtr, portando uma enorme espada da qual o sol cintila com um brilho deslumbrante. O sinistro barco de cadáveres Naglafari, feito de unhas de homens mortos, zarpou do leste com uma tripulação de gigantes de fogo; Loki é o timoneiro, levando feroz destruição para os mundos de deuses e homens. Também avançando do leste chega Hrymr, outro líder dos gigantes de gelo, e, no oceano, os enormes espirais da serpente Miðgarðs se agitam. E Fenrir, finalmente, quebrou o grilhão sedoso que o havia mantido subjugado por todas essas eras e galopa livremente.

ᛟ A ÚLTIMA BATALHA E AS MORTES DOS DEUSES ᛟ

Agora, os há muito profetizados combates individuais ocorrem. Óðinn caminha bravamente adiante para enfrentar o lobo, mas o deus da lança descobre que Gungnir não lhe pode ser útil, e Fenrir o engole de uma só vez. Frigg chora ao ver seu esposo morrer; "o querido amado de Frigg", como o poema o chama, comparando sua morte à de Baldr, como "o segundo luto de Frigg". A deusa chora à margem do campo de batalha enquanto os deuses empurram seus escudos contra os inimigos mortais. Em seguida chega Þórr, encontrando uma vez mais sua antiga inimiga, a serpente Miðgarðs. O deus derruba a grande serpente, mas, cambaleando apenas nove passos do cadáver, ele também cai, derrotado pelo hálito poderoso e venenoso de Miðgarðs.

Snorri acrescenta alguns detalhes que não conhecemos de qualquer outro lugar; eles podem ser tradicionais ou produto de seu próprio instinto de organização. Freyr avança contra Surtr, e, agora, como Loki previra, ele deve certamente lamentar a falta da espada que deu para a garota gigante Gerðr. O grande cão Garmr, cujo terrível uivo pressagiou o *ragnarök*, derruba Týr; essa história passada do deus com Fenrir levanta a suspeita de que Garmr e Fenrir sejam, na verdade, um, e que o lobo possui pendências com o deus cuja mão arrancou. Heimdallr e Loki lutam entre si – não pela primeira vez –, e um mata o outro.

H.A. Guerber, *Myths of the Norsemen from the Eddas and Sagas*, 1909 (Londres). Sleipnir cai enquanto Fenrir pula sobre Óðinn. Dorothy Hardy (1909).

Os deuses fazem algum progresso contra os monstros. Víðarr, filho de Óðinn, pula na garganta de Fenrir; seus pés estão protegidos das garras do lobo pelos sapatos de solas grossas que usa. Toda vez que o material da sola é removido dos dedos ou calcanhares – Snorri nos conta em um aparte – isso melhora o calçado de Víðarr. Com uma mão, ele alcança a mandíbula superior do lobo e a despedaça. Essa imagem, a morte do pai e a vingança do filho, é uma das favoritas dos escultores da Era *Viking*.

O conflito de Heimdallr e Loki

A tradição nos conta que Heimdallr e Loki haviam se encontrado em combate antes. Naquela ocasião, eles lutaram no mar, em um rochedo chamado Singasteinn, ambos sob a forma de focas para a batalha. O ponto de discórdia foi a posse do *Brisinga men*, o grande colar de Freyja, que, de algum modo, foi parar nas mãos de Loki. Heimdallr vence a luta e devolve a preciosa joia à deusa; essa é, provavelmente, uma versão da história do roubo de Loki, relatada no capítulo 2.

Finnur Jónsson, *Goðafræði Norðmanna og Íslendinga eftir heimildum*, 1913 (Reykjavik).
Víðarr pula na garganta de Fenrir na Cruz de Gosforth, Cúmbria, começo do século X.

Agora, o fogo do gigante Surtr incendeia o mundo inteiro, e o processo por meio do qual a Terra foi criada, no começo de "A profecia da vidente" (como descrito no cap. 2), é invertido:

O sol se torna negro, a terra afunda no mar;
as estrelas brilhantes desaparecem do céu;
vapor sobe da conflagração,
a chama incandescente se ergue contra o próprio céu.
"A PROFECIA DA VIDENTE", V. 57.

Uma catástrofe vulcânica?

Como "A profecia da vidente" foi datada em torno do ano 1000, bem depois do estabelecimento da Islândia, tem sido discutido que a descrição do *ragnarök* que ela contém reflete a natureza vulcânica da ilha. Certamente, no verso supracitado, características de uma erupção vulcânica – chamas disparando para cima, a escuridão quando a nuvem de poeira obscurece o sol, o desaparecimento da terra sob fluxos de lava incandescente e o chiado da negra rocha derretida encontrando o mar – poderiam ser lidas na visão do poema sobre o fim do mundo.

Uma mostra de que os poemas e a tradição da prosa de Snorri buscam integrar diferentes tradições em narrativas coerentes é o fato de que o sol já foi engolido pelo lobo que o perseguia por eras. A escuridão, mitigada apenas pelas chamas saltitantes, traz o fim do mundo.

ᛟ RENASCIMENTO ᛟ

O fim do mundo, quando o mar avança sobre o solo e as chuvas de terrível destruição caem sobre uma terra onde deuses, humanos e mesmo gigantes pereceram, marca o fim do tempo na tradição cristã. Contudo, em outras mitologias, não é assim; muitos sistemas imaginam o tempo e o espaço como cíclicos, e acreditam que, quando o mundo antigo, corrupto, tiver sido eliminado, um novo surgirá para tomar seu lugar. Pois, embora na poesia édica a frase *ragnarök* signifique "destino das Forças", Snorri usa uma palavra ligeiramente diferente, *rökkr*, que significa algo como "anoitecer" ou "luz fraca e vacilante" – por isso, a compreensão de Wagner do fim de seu mundo heroico como "O crepúsculo dos deuses". *Rökkr* poderia, igualmente, significar "penumbra", assim como "crepúsculo", e, portanto, *rökkr* pode introduzir um dia novo e brilhante.

E é isso que, de fato, encontramos na tradição poética e na descrição de Snorri, derivada dela. Pois as profetisas, cuja visão constitui "A profecia da vidente" olham para além do fim do mundo, e:

Ela vê, chegando um segundo tempo,
terra do oceano, eternamente verde;
cascatas se lançam, uma águia paira sobre elas,
acima da montanha, perseguindo peixes.

Os Æsir se encontram no Iðavellir,
e conversam sobre a poderosa Cintureira da Terra,
e as antigas runas de Fimbultýr.

Lá encontrarão novamente na grama
o maravilhoso jogo de damas dourado,
que eles possuíam nos tempos passados.
"A PROFECIA DA VIDENTE", V. 59-61.

Pois alguns dos Æsir retornarão. Surpreendentemente, Hœnir, aquele misterioso terceiro que caminhava ao lado de Óðinn em muitos momentos importantes no passado, volta. Do mesmo modo, maravilhosamente, os assassinos involuntários e as vítimas sacrificais, Höðr e Baldr, retornam do outro lado da morte (o segredo que Óðinn sussurra no ouvido de seu filho morto na pira, supomos). Uma nova era de ouro é sinalizada: campos produzem grãos sem semeadura, todos os danos são reparados, e o jogo de damas dourado, tão ressonantemente simbólico da era de inocência anterior, é encontrado uma vez mais na planície. Com o ar aturdido dos sobreviventes de uma grande catástrofe, os novos Æsir se recordam da serpente Miðgarðs e das runas que Óðinn conquistou para eles.

O gigante Vafþrúðnir também, em sua competição de sabedoria com Óðinn, lá no mundo antigo, havia previsto a renovação que segue o cataclismo, revelando ao deus ansioso que alguns humanos,

Martin Oldenbourg, *Walhall, die Götterwelt der Germanen*, 1905 (Berlim).
Após o renascimento da Terra, uma águia voa próximo a uma cascata, procurando peixes.
Emil Doepler (1905).

com nomes promissores de Líf e Lífþrasir (Vida e, quem sabe, Propulsor da Vida, masculino e feminino, talvez), sobrevivem se escondendo no Bosque de Hoddmímir (talvez Yggdrasill, devido à proximidade do grande seixo ao Poço de Mímir). O sol também, antes de ser engolido por Fenrir, deu à luz uma filha que percorrerá os caminhos da mãe. Vafþrúðnir identifica outros Æsir que formarão a nova geração de deuses: Víðarr, vingador de seu pai, Óðinn; Váli, vingador de seu irmão, Baldr; Móði e Magni, dois filhos de Þórr, que brandirão Mjöllnir, a arma de seu pai. A visão de Vafþrúðnir é menos otimista do que a da profetisa; o retorno dos filhos de Óðinn e Þórr sugere o recomeço dos antigos padrões de vida, vingança e violência se reafirmando. Não há a ênfase na reconciliação que encontramos em "A profecia da vidente", nenhuma menção às duas vítimas da terrível malícia de Loki – Höðr e Baldr – chegando a um acordo, com a irmandade renovada.

Mesmo no mundo idealizado pela profetisa, e a despeito do retorno milagroso do jogo de damas dourado, há sinais de que sistemas inelutáveis operam novamente, de que o relógio esteja em contagem regressiva para a próxima renovação. Quando Hœnir se estabelece no antigo território de Óðinn, ele começa a cortar "lascas de madeira para a profecia"; o destino ainda está operando. A última coisa que a vidente vê antes de mergulhar novamente em seu transe é o dragão Níðhöggr, a monstruosa serpente que costumava atacar Yggdrasill, voando pelo céu carregando cadáveres em suas asas. Isso parece ominoso. Alguns sugerem que esse detalhe marca o retorno da profetisa ao "agora" de sua visão, e que, enquanto a profecia chega à sua conclusão, ela vê o voo do dragão no presente. Outros se perguntaram se Níðhöggr tem um papel positivo no mundo e está eliminando os últimos vestígios da batalha final ao carregar os cadáveres. Mas não há razão convincente para pensar que o novo mundo não será como o anterior, que o mal e a corrupção não se manifestarão novamente (talvez, por meio de um vetor diferente de Loki e seus aliados gigantes), e que *ragna rökkr*, a escuridão antes da aurora, cairá novamente – e novamente – ao longo dos ciclos dos tempos.

Foto: Sven Nilsson.
A pedra Jelling, uma imagem gravada em pedra dinamarquesa do século X, encomendada pelo Rei Harald Dente Azul. Ela descreve o Cristo crucificado no estilo de pedra rúnica tradicional.

Um novo deus?

Uma versão de "A profecia da vidente", registrada no começo do século XIV, contém um verso extra no ponto em que a nova geração de deuses se moveu para o salão de teto de ouro de Gimlé, quando o mundo recomeçou. "*Então, vem o poderoso para o julgamento das Potências, / cheio de força, de cima, ele, que governa tudo*".
Quem pode ser esse poderoso que vem para o conselho reconstituído dos deuses? É Jesus, que retornou para o Juízo Final, pronto para terminar com o panteão pagão, e para anunciar que a nova religião está aqui verdadeiramente para ficar?

ᛟ MITOS QUE SUBSISTEM ᛟ

Na época em que o "poderoso" desceu para assumir o controle, no começo do século XIV, a Islândia, há muito, era cristã. Todavia, os mitos e as lendas nórdicos antigos ainda tinham ressonância. Alguns poemas novos estavam sendo compostos em torno dessa época, incorporando motivos mitológicos e lendários a formas tradicionais, mas contando histórias novas. Em um poema do século XIV, um herói é amaldiçoado por sua madrasta má a cortejar a inacessível donzela Menglöð. O jovem Svipdagr primeiro visita o túmulo da mãe para obter encantos protetivos e aconselhamento e, depois, viaja para o castelo de Menglöð. Um gigante hostil que o guarda não o deixará entrar, e os dois iniciam uma longa discussão sobre que tarefas ele deve realizar para conseguir entrar. Mas estas são impossivelmente circulares; para completar a primeira tarefa, Svipdagr já precisaria ter realizado a última. A situação é irremediável, a menos que – como seu interlocutor explica – seu nome fosse Svipdagr! E, imediatamente, os portões se escancaram, o herói entra, e a bela Menglöð o abraça, exigindo saber por que ele demorara tanto.

Alguns mitos e lendas foram convertidos em baladas e permaneceram na imaginação popular. Embora seja improvável que qualquer um ainda acreditasse em Óðinn e Þórr, continuava sendo útil pensar sobre deuses e heróis, com suas histórias lembrando as pessoas da importância da poesia, da inteligência e da coragem, de enfrentar o mal e de rir diante da morte. O islandês não mudou muito como língua ao longo dos séculos, e os mitos preservados em sagas e poemas ainda eram compreendidos. No século XVII, os poemas do Codex Regius foram editados e traduzidos ao latim; logo o conhecimento deles estava circulando amplamente pela Europa. As primeiras traduções inglesas apareceram no século XVIII (algumas contendo erros hilários), e os mitos e as lendas do norte foram popularizados pelos Irmãos Grimm e por Richard Wagner na Alemanha, e por William Morris e J.R.R. Tolkien na Grã-Bretanha.

Agora, com fenômenos culturais populares, como *Game of Thrones* (com sua constante ameaça a Fimbulvetr, o longo inverno), o estilo musical *viking death metal* ou a série de televisão *Vikings* – cujo herói é o próprio Ragnarr Calças Felpudas que encontramos no capítulo 5 –, os mitos e as lendas escandinavos são tão vibrantes hoje quanto em qualquer época desde que o cristianismo os afastou dos corações e das mentes do norte.

ᛟ LEITURA COMPLEMENTAR ᛟ

As fontes originais para vários dos mitos discutidos neste livro são muito fáceis de encontrar em inglês.

STURLUSON, S. *Edda*. Trad. Anthony Faulkes. 2. ed. Londres, 2008. Esse contém "O engano de Gylfi" (*Gylfaginning*) e outras histórias mitológicas.
STURLUSON, S. *The poetic Edda*. Trad. Carolyne Larrington. 2. ed. Oxford, 2014. Muitos dos poemas citados neste livro podem ser encontrados completos lá.
GRAMMATICUS, S. *The history of the Danes*. Ed. Hilda Ellis Davidson. Trad. Peter Fisher. Cambridge, 1979.

Outros livros interessantes e acessíveis sobre a mitologia nórdica incluem:
ABRAM, C. *Myths of the Pagan North: gods of the norsemen*. Londres e Nova York, 2011.
PAGE, R.I. *Norse Myths (the legendary past)*. Londres, 1990.
O'DONOGHUE, H. *From Asgard to Valhalla: the remarkable history of the Norse Myths*. Londres, 2007.

Uma discussão acadêmica, mas extremamente interessante sobre o mito é:
ROSS, M.C. *Prolonged echoes*. Odense, 1994. v. 1.

Para uma descrição muito acessível da Era *Viking*:
WINROTH, A. *The age of the vikings*. Princeton, 2015.

Um trabalho mais acadêmico:
JESCH, J. *The viking diaspora*. Londres e Nova York, 2015.

Uma descrição fascinante da arqueologia escandinava e sua relação com o mito:
ANDRÉN, A. *Tracing old norse cosmology: the World Tree, Middle Earth and the Sun in archaeological perspective*. Lund, 2014.

Outra exploração da arqueologia da Era *Viking*:
PRICE, N. *The viking way: religion and war in the Iron Age of Scandinavia*. 2. ed. Oxford, 2016.

Existem, claro, várias novas versões para crianças, de autores como Roger Lancelyn Green e Barbara Leonie Picard. A melhor coleção é:
CROSSLEY-HOLLAND, K. *The penguin book of Norse Myths: gods of the vikings*. Londres, 1996.

Uma série fascinante de romances baseados nos mitos nórdicos – as duas primeiras, para jovens adultos; a última, para leitores mais experientes:
HARRIS, J. *Runemarks*. Londres, 2008.
HARRIS, J. *Runelight*. Londres, 2011.
HARRIS, J. *The gospel of Loki*. Londres, 2014.

Dois romances para jovens adultos baseados em lendas heroicas:
BURGESS, M. *Bloodtide*. Londres, 1999.
BURGESS, M. *Bloodsong*. Londres, 2005.

ᛟ FONTES DAS CITAÇÕES ᛟ

No original desta obra, todas as citações foram traduzidas para o inglês pela própria autora, exceto:

p. 17: "gravando as letras de sua própria língua..." (GRAMMATICUS, 1979, p. 5).

p. 18: "um homem... amplamente reconhecido por toda Europa, embora falsamente, como um deus" (GRAMMATICUS, 1979, p. 25).

p. 158: "movimentos corporais efeminados" (GRAMMATICUS, 1979, p. 172).

ÍNDICE

Números de páginas em itálico se referem a ilustrações. Palavras começando com Þ são listadas após o Z.

SOBRE A AUTORA

Carolyne Larrington é professora de Literatura Europeia Medieval na Universidade de Oxford e membro oficial e tutora no St. John's College. Seus livros recentes incluem *All men must die: Power and passion in Game of Thrones* (2021), *A critical companion to old norse literary genre* (2020), *A handbook to Eddic Poetry: Myths and legends of ancient Scandinavia* (2016), *Winter is coming: The medieval world of Game of Thrones* (2015), *The Poetic Edda: Essays on old norse mythology* (com Paul Acker) e uma tradução revisada e ampliada de *The Poetic Edda* (2014).